介護福祉士の主なしごと

生活支援

介護予防・自立支援

身体介護

喀痰吸引等

家族支援

介護チームのリーダーとして

災害時の支援

介護を取り巻く制度と社会の動き

介護の概念	法律・制度の動き	社会の動き
戦後の貧困対策から、福祉制度の整備へ。介護は看護や介助と未分化	**戦前** 1874年 恤救規則発布 →稼働能力がなく扶養者のいない者を助ける。介護は家族中心 1929年 救護法成立 →養老院創設、まだ収容は例外的 1938年 国民健康保険法（健康保険法改正） 1944年 厚生年金保険法（労働者年金保険法改正） **戦後** 1946年 旧生活保護法成立 →一部の低所得者を収容保護 1947年 児童福祉法、1949年 身体障害者福祉法、1950年 新生活保護法の福祉三法成立 →養老院から養老施設に 1950年 精神衛生法（現・精神保健及び精神障害者福祉に関する法律）成立 1951年 有料老人ホーム設置	1939-45年 第2次世界大戦 1947-49年 第1次ベビーブーム 1950-53年 朝鮮戦争 1951年 サンフランシスコ講和会議 経済復興
老人問題が認識され、老人福祉法で介護明記	**1960年代** 1958年 国民健康保険法改正、1959年 国民年金法成立 →1961年から国民皆年金・皆保険時代へ 1960年 精神薄弱者福祉法（現・知的障害者福祉法）、1963年 老人福祉法、1964年 母子福祉法（現・母子及び父子並びに寡婦福祉法）成立、福祉六法時代 1960年 軽費老人ホーム設置 1962年 老人家庭奉仕事業運営要綱（国庫補助開始） 1963年 老人福祉法成立 ・特別養護老人ホーム設置、常時介護が必要な老人を収容 ・老人家庭奉仕員制度（ホームヘルプサービス）創設	1964年 東京オリンピック 高度経済成長 平均寿命延伸、高齢化率の進展
社会構造の変化で介護ニーズが高まる。介護サービスの量的拡充	**1970年代** 社会福祉施設の緊急整備、収容施設拡充 1970年 心身障害者対策基本法（現・障害者基本法）成立 1973年 福祉元年、老人医療費無料化 老人福祉法改正で在宅サービス拡充、1978年 ショートステイ、1979年 デイサービス創設	1970年 大阪万博 1971年 ドルショック、 1973年 オイルショック、低成長期へ 1971-74年 第2次ベビーブーム 1972年 札幌オリンピック、沖縄返還 核家族化、女性の社会進出 『恍惚の人』ベストセラー、認知症高齢者問題に関心高まる

介護の概念	法律・制度の動き	社会の動き
福祉専門職が国家資格化	**1980年代** 1982年 老人保健法（現・高齢者の医療の確保に関する法律）成立、老人家庭奉仕員派遣拡大 1985年 年金制度改正、**基礎年金制度**導入 1986年 老人保健法改正で**老人保健施設**（現・介護老人保健施設）創設 →医療と福祉の一体化 **1987年 社会福祉士及び介護福祉士法成立** →社会福祉士・介護福祉士誕生、「介護」の専門性が確立 1989年 **ゴールドプラン**策定 →在宅三本柱の整備、ねたきり老人ゼロ作戦	1985年 プラザ合意 超円高、バブル経済 1989年 昭和天皇崩御、平成始まる
介護施策がひろがり、介護福祉の基本的な概念が整理される	**1990年代** 1990年 **福祉関係八法**改正、在宅福祉サービスの推進 老人家庭奉仕員は**ホームヘルパー**に 1992年 **老人訪問看護制度**創設 1993年 **障害者基本法**成立 1994年 **新ゴールドプラン**策定 **1997年 介護保険法成立** ・各種の介護サービス誕生、ホームヘルパーは訪問介護にも規定 1994年 ハートビル法、2000年 交通バリアフリー法成立（2006年にバリアフリー新法に統合） 1999年 **ゴールドプラン21**策定	バブル崩壊、失われた20年 携帯電話、パソコン、インターネット普及 1994年 高齢社会に突入 1995年 阪神・淡路大震災 1998年 長野オリンピック
介護保険法施行により多様な介護サービスが整備され、介護福祉概念がさらに拡大	**2000年以降** 2000年 **社会福祉基礎構造改革** →措置から契約へ 2000年 **社会福祉法**（社会福祉事業法改正） →老人保健福祉計画策定、福祉サービス提供体制確保を国と自治体に求める 2003〜12年 **障害者基本計画** 2005年 **高齢者虐待防止法**成立 2005年 **障害者自立支援法**成立（2012年 **障害者総合支援法**に改正） 2007年 **社会福祉士及び介護福祉士法**改正 ・介護の内容の定義変更（「入浴、排せつ、食事その他の介護」から「心身の状況に応じた介護」に） ・介護福祉士の義務規定の見直し（誠実義務、資質向上の責務を追加） ・介護福祉士養成課程の見直し（3領域に再編） 2008年 **後期高齢者医療制度**創設 2011年 **社会福祉士及び介護福祉士法**改正 ・介護福祉士の業に**喀痰吸引等（医療的ケア）**含まれる ・介護福祉士養成課程の見直し（「医療的ケア」追加） ・資格取得方法一元化（経過措置あり） 2011年 **障害者虐待防止法**、2013年 **障害者差別解消法**成立 2018年 介護福祉士養成課程の見直し	2005年 愛知万博 経済のグローバル化、サービス化 2007年 超高齢社会に突入 2011年 東日本大震災 2021年 東京オリンピック

介護福祉士の活動の場

◆ 在宅での活動

ホームヘルプサービス

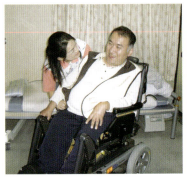

デイサービス

◆ 施設での活動

介護老人福祉施設

介護老人保健施設

◆ 地域での活動

小規模多機能型居宅介護

グループホーム

認知症カフェ

最新
介護福祉士養成講座 3

編集 介護福祉士養成講座編集委員会

介護の基本 I

第2版

中央法規

『最新 介護福祉士養成講座』初版刊行にあたって

　1987（昭和62）年に「社会福祉士及び介護福祉士法」が制定され、介護福祉職の国家資格である介護福祉士が誕生してから30年以上が経ちました。2018（平成30）年11月末現在、資格取得者（登録者）は162万3974人に達し、施設・在宅を問わず地域における介護の中核をになう存在として厚い信頼をえています。

　近年では、世界に類を見ないスピードで進む高齢化に対応する日本の介護サービスは国際的にも注目を集めており、アジアをはじめとする海外諸国から知識と技術を学びに来る学生が増えています。

　もともと介護福祉士が生まれた背景には、戦後の高度経済成長にともなう日本社会の構造的な変化がありました。資格誕生から今日にいたるまでのあいだも社会は絶えず変化を続けており、介護福祉士に求められる役割と期待はますます大きくなっています。そのような背景のもと、今後さらに複雑化・多様化・高度化していく介護ニーズに対応できる介護福祉士を育成するために、2018（平成30）年に10年ぶりに養成カリキュラムの見直しが行われました。

　当編集委員会は、資格制度が誕生した当初から、介護福祉士養成のためのテキスト『介護福祉士養成講座』を刊行してきました。福祉関係八法の改正、社会福祉法や介護保険法の施行など、時代の動きに対応して、適宜記述内容の見直しや全面改訂を行ってきました。そして今般、本講座を新たなカリキュラムに対応した内容に刷新するべく『最新 介護福祉士養成講座』として刊行することになりました。

　『最新 介護福祉士養成講座』の特徴としては、次の事項があげられます。
① 介護福祉士養成のための標準的なテキストとして国の示したカリキュラムに対応
② 現場に出たあとでも立ち返ることができ、専門性の向上に役立つ
③ 講座全体として科目同士の関連性も見える
④ 平易な表現や読みがなにより、日本人学生と外国人留学生がともに学べる
⑤ オールカラー（11巻、15巻）、ＡＲ（拡張現実：6巻、7巻、15巻）の採用などビジュアル面への配慮

　本講座が新しい時代にふさわしい介護福祉士の養成に役立ち、さらには本講座を学んだ方々が広く介護福祉の世界をリードする人材へと成長されることを願ってやみません。

2019（平成31）年3月
介護福祉士養成講座編集委員会

はじめに

　「介護の基本」は、介護福祉の基本となる理念や、地域を基盤とした生活の継続性を支援するためのしくみを理解し、介護福祉の専門職としての能力と態度を養うための科目です。

　初版刊行から3年が経過し、実際にテキストとしてご使用いただいている教員や学生の方々からのご意見などを参考にさせていただき、このたび新たに第2版として刊行することとなりました。

　本書『介護の基本Ⅰ』は、「介護福祉の基本となる理念」と「介護福祉士の役割と機能」「介護福祉士の倫理」「自立に向けた介護」に大別されています。

　第1章の「介護福祉の基本となる理念」では、第1節「介護福祉を取り巻く状況」、第2節「介護福祉の歴史」、第3節「介護福祉の基本理念」を通して、介護ニーズおよび介護福祉を取り巻く状況を社会的な課題としてとらえ、尊厳の保持や自立支援という介護福祉の基本となる理念を習得します。第2章の「介護福祉士の役割と機能」では、第1節「社会福祉士及び介護福祉士法」、第2節「介護福祉士の活動の場と役割」、第3節「介護福祉士に求められる役割とその養成」、第4節「介護福祉士を支える団体」を通して、地域や施設・在宅の場、介護予防や看取り、災害時等の場面や状況における介護福祉士の役割と機能、さらに社会福祉士及び介護福祉士法に関連する諸規定等について習得します。第3章の「介護福祉士の倫理」では、第1節「介護福祉士の倫理」、第2節「日本介護福祉士会の倫理綱領」を通して、介護福祉の専門性と倫理を理解し、介護福祉士に求められる専門職としての態度を形成するための内容になっています。第4章の「自立に向けた介護」では、第1節「介護福祉における自立支援」、第2節「ICFの考え方」、第3節「自立支援とリハビリテーション」、第4節「自立支援と介護予防」を通して、ICFの視点にもとづくアセスメントを理解し、エンパワメントの観点から個々の状態に応じた自立を支援するための環境整備や介護予防、リハビリテーション等の意義や方法について習得する内容になっています。

　全体を通じて、できる限りわかりやすい日本語表現を心がけ、図表や写真などを多く用いて読みやすさに配慮しました。

　引き続きご活用いただくなかでお気づきになった点は、ぜひご意見をお寄せください。いただいた声を参考にして、改訂を重ねていきたいと考えています。

編集委員一同

最新 介護福祉士養成講座3　介護の基本Ⅰ　第2版

目次

『最新 介護福祉士養成講座』初版刊行にあたって

はじめに

第1章　介護福祉の基本となる理念

第1節　介護福祉を取り巻く状況 …… 2
1. 介護の成り立ち … 2
2. 介護福祉を取り巻く状況 … 5

演習1-1　介護サービスと家族介護のバランス … 20

第2節　介護福祉の歴史 …… 21
1. 老人福祉法の制定にいたるまでの社会福祉政策 … 21
2. 1970年代──介護サービスの量的拡充がはかられる … 31
3. 1980年代──介護サービスの質的向上がはかられる … 32
4. 1990年代──今日の介護実践における基本的な概念が整理される … 38
5. 2000年以降──今日の介護サービスの基本的枠組みが整備され、介護概念が拡大する … 42

演習1-2　今後、対応が必要な介護問題を考える … 52

第3節　介護福祉の基本理念 …… 53
1. 介護福祉の理念とは … 53
2. 尊厳を支える介護 … 56
3. 自立を支える介護 … 59

演習1-3　尊厳を支える介護 … 65
演習1-4　利用者主体の自立を支えるために必要な自己決定権 … 65

第2章　介護福祉士の役割と機能

第1節　社会福祉士及び介護福祉士法 …… 68
1. 社会福祉士及び介護福祉士法 … 68
2. 社会福祉士及び介護福祉士法に関連する諸規定 … 73

演習2-1　心身の状況に応じた介護を考える … 76
演習2-2　介護福祉士の義務規定 … 76

第 2 節 介護福祉士の活動の場と役割 …… 77
1 地域包括ケアシステム … 77
2 介護予防 … 80
3 医療的ケア … 82
4 人生の最終段階の支援 … 85
5 災害時の支援 … 89
演習2-3 介護福祉士の活動する場と役割 … 93

第 3 節 介護福祉士に求められる役割とその養成 …… 94
1 介護福祉士養成教育の始まり … 96
2 社会福祉専門職に求められる役割の拡大 … 96
3 介護福祉現場での中心的役割としての介護福祉士への期待 … 98
4 チームリーダーとしての介護福祉士への期待 … 100

第 4 節 介護福祉士を支える団体 …… 107
1 日本介護福祉士会 … 107
2 日本介護福祉士養成施設協会 … 113
3 日本介護福祉教育学会 … 114
4 日本介護福祉学会 … 115

第 3 章 介護福祉士の倫理

第 1 節 介護福祉士の倫理 …… 118
1 介護実践における倫理 … 118
2 倫理的対応が必要な事例 … 130

第 2 節 日本介護福祉士会の倫理綱領 …… 136
1 介護福祉士に求められる職業倫理 … 136
2 日本介護福祉士会倫理綱領 … 140
演習3-1 利用者の尊厳を保持した倫理的介護実践 … 149

第 4 章 自立に向けた介護

第 1 節 介護福祉における自立支援 …… 152
1 自立支援の考え方 … 152
2 利用者理解の視点 … 154
3 意思決定支援 … 157

	4	生活意欲と活動 … 160
	5	就労支援 … 163
	6	自立と生活支援 … 165
演習4−1		利用者の意思決定を支援する … 171

第2節 ICFの考え方 …………………………………………………………………… 172

	1	介護におけるICFのとらえ方 … 172
演習4−2		高齢者のストレングス … 179

第3節 自立支援とリハビリテーション ……………………………………………… 180

	1	リハビリテーションとは … 180
	2	リハビリテーションの実際 … 184
	3	リハビリテーションを考えるうえでの障害の理解と評価 … 191
	4	リハビリテーションのなかでの自立のとらえ方 … 194
	5	リハビリテーションにおける介護福祉士の役割 … 195
演習4−3		リハビリテーションの理念 … 197
演習4−4		リハビリテーションにおける介護福祉士の役割 … 197

第4節 自立支援と介護予防 …………………………………………………………… 198

	1	介護予防の概要 … 198
	2	介護予防の種類と展開 … 201
	3	高齢者の身体特性と介護予防 … 204
	4	介護予防の実際 … 207
	5	自立支援と介護予防 … 213
	6	介護予防における介護福祉士の役割 … 213
演習4−5		介護予防における介護福祉士の役割① … 215
演習4−6		介護予防における介護福祉士の役割② … 215

索引 ………………………………………………………………………………………… 217

執筆者一覧

> 本書では学習の便宜をはかることを目的として、以下のような項目を設けました。
> - 学習のポイント … 各節で学ぶべきポイントを明示
> - 関連項目 ………… 各節の冒頭で、『最新 介護福祉士養成講座』において内容が関連する他巻の章や節を明示
> - 重要語句 ………… 学習上、とくに重要と思われる語句について色文字のゴシック体で明示
> - 補足説明 ………… 専門用語や難解な用語・語句をゴシック体で明示するとともに、側注でその用語解説や補足的な説明を掲載
> - 演　　習 ………… 節末や章末に、学習内容を整理するふり返りや、理解を深めるためのグループワークなどの演習課題を掲載

第1章 介護福祉の基本となる理念

第1節 介護福祉を取り巻く状況
第2節 介護福祉の歴史
第3節 介護福祉の基本理念

第 1 節

介護福祉を取り巻く状況

学習のポイント

■ 介護ニーズの複雑化や多様化など介護福祉を取り巻く状況について理解する

関連項目 ②『社会の理解』▶ 第3章「社会保障制度」

1 介護の成り立ち

1 身近になった介護と介護サービス

現代の日本において、**介護**という言葉を耳にする機会は非常に多くあります。たとえば、

・みなさんが取得をめざす、介護分野における唯一の国家資格である「介護福祉士」
・**社会保険**[1]制度の1つであり、各種の介護サービスを提供する「介護保険制度」
・家族の介護を理由とした離職の防止をはかる「介護離職ゼロ」

などがあり、われわれの生活において介護という言葉はとても身近なものになっています。自分や家族が介護を必要とする状態になったときの介護サービスの内容や、介護人材の確保に対する国民の関心は非常に高く、政策の重要なテーマの1つとなっています。

もし、自分の親が介護を必要とする要介護状態になったらどうしますか。介護は一時的なものではなく、長期間継続することが多いので、家族だけで介護を行う場合、身体的、精神的、経済的に大きな負担となるでしょう。仕事や学業に支障が出るかもしれません。

現代では、高齢者が要介護状態になった場合、介護保険制度のサービ

---

[1] **社会保険**
保険料を支払い、社会全体で生活上のリスクに備える制度。社会保障制度の1つである。被保険者は強制加入となる。医療保険、年金保険、労働者災害補償保険（労災保険）、雇用保険、介護保険の5つがある。

スを利用し、介護福祉士をはじめとする各種専門職のサポートを受けることができます。また、介護と仕事の両立を支援する施策の1つとして、**育児休業、介護休業等育児又は家族介護を行う労働者の福祉に関する法律**（以下、**育児・介護休業法**）があります。

以前、介護は家族がになってきた時代がありましたが、現代では**介護の社会化**❷が進み、介護をサポートする制度が整備されてきています。

2 介護の意味

介護は『広辞苑』によると、「高齢者・病人などを介抱し、日常生活を助けること」¹⁾と説明されています。漢字の語源をみると、「介」は、人を分ける、仲立ちする。「護」は、マ（目）＋モル（守る）が語源で、目を開き見守る意とされています。このことから、「人の間に立ち、守る」という意味であるといえます。

日常生活を送るためには、食事や排泄、外出するための移動等の行為を行う必要があります。これらの日常生活の行為は自分でできることが望ましいことは言うまでもありませんが、病気などのさまざまな理由で自分ではこれらの行為を行うことができず、他者の支援を必要とする場合もあります。たとえば、風邪をひいて具合が悪くなったとき、体調が悪いために、自分で食事の用意をすることや食べることができず、家族に食事の支援をしてもらった経験は多くの人があるのではないでしょうか。また、家族が病気で具合が悪くなったときに、食事の支援をしたことがあるという人もいるかもしれません。

先にみた**育児・介護休業法**では、**介護休業**は「労働者が、第3章に定めるところにより、その要介護状態にある対象家族を介護するためにする休業をいう」と定められており、家族を介護するために仕事を休業することができます。このように、介護という日常生活を助ける行為は、資格のない家族であっても実施可能な行為であり、これらの法律が制定されるよりもはるか昔から、家庭や地域において、自然に行われてきたと考えられます。

❷**介護の社会化**
介護を個人や家族のみで対応するのではなく、社会全体の課題として対応すること。介護保険法の成立は、介護の社会化を進めるうえで重要な契機となった。

3 介護という言葉が使われるようになった時期

　介護という言葉は、いつ、どのような背景から誕生したのでしょうか。『日本語源広辞典』によると、「語源は、『介抱と看護』の合成語です。20世紀末、老人問題が叫ばれ使われるようになった言葉です」[2)]と説明されています。

　『広辞苑』では「介護」は1983（昭和58）年の第3版から記載されています。このことから、介護問題に対する社会的な関心が高まった1980年代の時期に介護という言葉が一般的なものとなり、社会全体で使用されるようになったと考えられます。つまり、介護という言葉が普及したのは比較的最近であるといえます。

　また、介護の意味も変化しています。『広辞苑』の介護の説明の変遷について、対象者と内容の観点から確認します（図1-1）。

　介護の対象者は、1983（昭和58）年（第3版）～1991（平成3）年（第4版）は「病人など」と記述されていましたが、1998（平成10）年（第5版）～2018（平成30）年（第7版）は「高齢者・病人など」と変化しています。つまり、高齢者が介護のおもな対象者となったことがわかります。

　また、介護の内容も変化しています。1983（昭和58）年（第3版）～1991（平成3）年（第4版）は「介抱し看護すること」と記述されていましたが、1998（平成10）年（第5版）～2018（平成30）年（第7版）

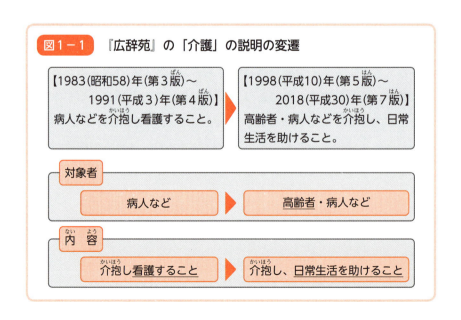

図1-1 『広辞苑』の「介護」の説明の変遷

は「介抱し、日常生活を助けること」と改められました。このことから、以前は介護と看護の区別が明確にされていなかったことがわかります。今では介護の説明に看護という言葉は使われていませんので、両者の概念は区別されているといえるでしょう。

なお、公的な文書において、介護という言葉が使われたのは、今から100年以上前の1892（明治25）年の「陸軍軍人傷痍疾病恩給等差例」であるといわれており、「不具若クハ廃疾トナリ常ニ介護ヲ要スルモノハ第1項若クハ第2項トシ其常ニ介護ヲ要セサルモノハ第3項若クハ第4項トシ其介護ヲ要セサルモノハ第5項若クハ第6項トス」と規定されていました。このなかに介護の内容に関する具体的な記述はなく、給付対象の程度を示す用語として用いられていました。この時点において、介護は一般的に普及している言葉とはいえなかったと考えられます。

2 介護福祉を取り巻く状況

1 介護需要の変化

日本ではこれまでに、増加する介護需要に対応するため、1963（昭和38）年に老人福祉法、1987（昭和62）年に社会福祉士及び介護福祉士法、1997（平成9）年に介護保険法が制定されるなど、政策的な対応がはかられてきました。介護需要が高まった社会的な背景として、平均寿命の延伸と、日本の高齢化率の上昇について確認します。

（1）平均寿命の延伸

図1－2のとおり、今からおよそ70年前の1950（昭和25）年の平均寿命は、男性が58.0歳、女性が61.5歳であり、65歳を超えて生きることは一般的ではありませんでした。その後、公衆衛生の向上や医療技術の発展により、日本人の平均寿命は延伸し、2019（令和元）年には、男性は81.41歳、女性は87.45歳と、80歳を超えて生きることが一般的となりました。平均寿命は今後も延伸し、2065（令和47）年には、男性は84.95歳、女性は91.35歳になると推計されています。

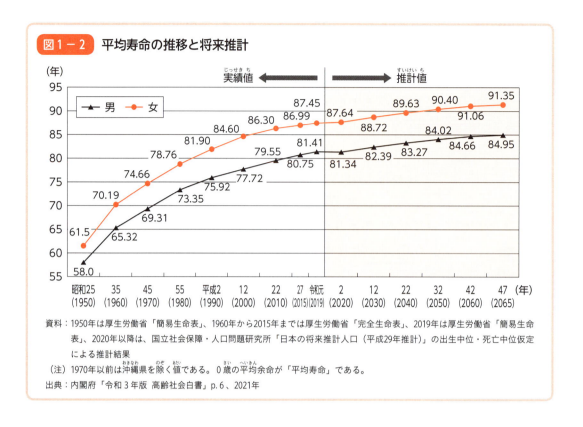

図1-2 平均寿命の推移と将来推計

資料：1950年は厚生労働省「簡易生命表」、1960年から2015年までは厚生労働省「完全生命表」、2019年は厚生労働省「簡易生命表」、2020年以降は、国立社会保障・人口問題研究所「日本の将来推計人口（平成29年推計）」の出生中位・死亡中位仮定による推計結果

（注）1970年以前は沖縄県を除く値である。0歳の平均余命が「平均寿命」である。

出典：内閣府「令和3年版 高齢社会白書」p.6、2021年

（2）日本の高齢化率の推移

　日本は高齢化と少子化が同時に進む少子高齢化社会となっています。日本の高齢化の推移と将来推計は**図1-3**のとおりです。1950（昭和25）年の高齢化率は4.9％でしたが、その後、一貫して上昇し、1985（昭和60）年には10％を超え、2005（平成17）年には20％を超え、2020（令和2）年には28.8％となっています。高齢化率は今後も上昇し、2065（令和47）年には38.4％になると推計されており、これらの高齢者を支える介護問題への対応が重要な課題となっています。

　日本の高齢化率は世界と比較して非常に高い水準となっており（**図1-4**）、この傾向は今後も継続すると予想されています。

2　家族機能の変化

　第2次世界大戦後、日本国憲法の制定、民法の改正により<u>家制度</u>は廃止されました。また、戦後の復興をめざし、1950年代半ばから1970年代はじめには高度経済成長に突入し、第1次産業（農業、林業、漁業）の就業者が減少し、第3次産業（サービス業など）の就業者が増加する就

第1節 介護福祉を取り巻く状況

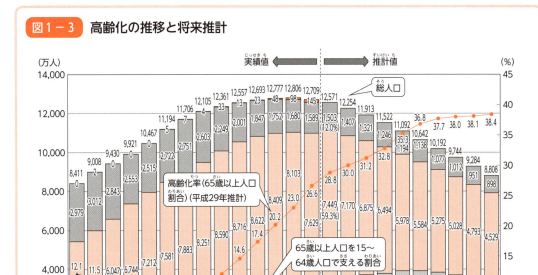

図1-3 高齢化の推移と将来推計

資料：棒グラフと実線の高齢化率については、2015年までは総務省「国勢調査」、2020年は総務省「人口推計」（令和2年10月1日現在（平成27年国勢調査を基準とする推計））、2025年以降は国立社会保障・人口問題研究所「日本の将来推計人口（平成29年推計）」の出生中位・死亡中位仮定による推計結果。
(注1) 2020年以降の年齢階級別人口は、総務省統計局「平成27年国勢調査 年齢・国籍不詳をあん分した人口（参考表）」による年齢不詳をあん分した人口に基づいて算出されていることから、年齢不詳は存在しない。なお、1950年～2015年の高齢化率の算出には分母から年齢不詳を除いている。ただし、1950年及び1955年において割合を算出する際には、（注2）における沖縄県の一部の人口を不詳には含めないものとする。
(注2) 沖縄県の昭和25年70歳以上の外国人136人（男55人、女81人）及び昭和30年70歳以上23,328人（男8,090人、女15,238人）は65～74歳、75歳以上の人口から除き、不詳に含めている。
(注3) 将来人口推計とは、基準時点までに得られた人口学的データに基づき、それまでの傾向、趨勢を将来に向けて投影するものである。基準時点以降の構造的な変化等により、推計以降に得られる実績や新たな将来推計との間には乖離が生じ得るものであり、将来推計人口はこのような実績等を踏まえて定期的に見直すこととしている。
(注4) 四捨五入の関係で、足し合わせても100%にならない場合がある。
出典：内閣府「令和3年版 高齢社会白書」p.4、2021年

業構造の変化、農村から都市部へ人口が移動する都市化、家族の規模が縮小する家族世帯の変化が生じました。その結果、家庭や地域の相互扶助の機能は低下し、これまで家庭や地域がになってきた介護の役割を社会が代替する必要性が生じることとなりました。

先にみた65歳以上人口の割合が上昇した結果、65歳以上の者のいる世帯構造に生じた変化について確認します。65歳以上の者のいる世帯の年次推移は図1-5のとおりです。「単独世帯」「夫婦のみの世帯」「親と

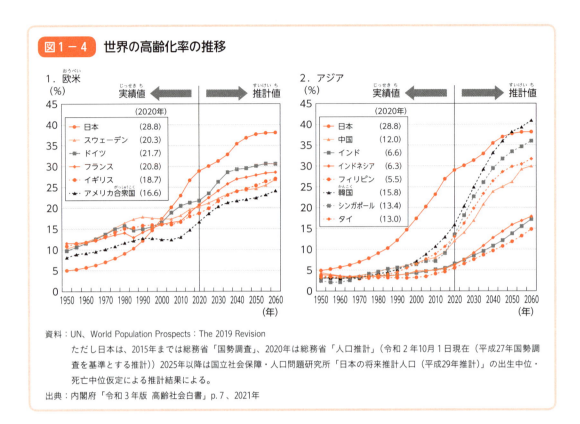

図1-4 世界の高齢化率の推移

資料：UN、World Population Prospects：The 2019 Revision
ただし日本は、2015年までは総務省「国勢調査」、2020年は総務省「人口推計」（令和2年10月1日現在（平成27年国勢調査を基準とする推計））2025年以降は国立社会保障・人口問題研究所「日本の将来推計人口（平成29年推計）」の出生中位・死亡中位仮定による推計結果による。
出典：内閣府「令和3年版 高齢社会白書」p.7、2021年

　未婚の子のみの世帯」は増加傾向にあります。「三世代世帯」は今からおよそ45年前の1975（昭和50）年には半数以上を占めていましたが、その後、急速に減少し、2019（令和元）年には1割以下となりました。
　図1-6をみると、おもな介護者の状況は、要介護者等と「同居」が54.4％と半数を超えており、「同居」のおもな介護者の要介護者等との続柄は「配偶者」が23.8％ともっとも多く、子が20.7％となっています。次いで「別居の家族等」が13.6％、「事業者」が12.1％となっています。
　図1-7の男女比は、男性が35.0％、女性が65.0％と女性のほうが高く、年齢では、男女ともに、「60～69歳」が男性28.5％、女性31.8％ともっとも多くなっています。
　図1-8の要介護者等と同居のおもな介護者の年齢組み合わせ別の割合の年次推移をみると、高齢者が高齢者を介護する老老介護の傾向が加速しており、認知症の者が認知症の者を介護する認認介護も一定数存在すると思われます。このように、高齢化は家族の介護機能に大きな影響を与えていることがわかります。

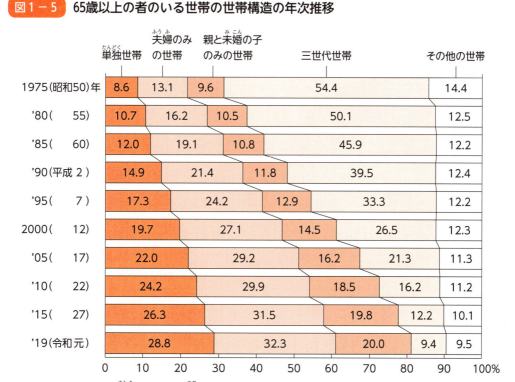

図1-5 65歳以上の者のいる世帯の世帯構造の年次推移

注：1）1995（平成7）年の数値は、兵庫県を除いたものである。
　　2）「親と未婚の子のみの世帯」とは、「夫婦と未婚の子のみの世帯」及び「ひとり親と未婚の子のみの世帯」をいう。
　　3）構成比は小数点第2位以下を四捨五入しているため、合計しても必ずしも100とはならない。
資料：厚生労働省「国民生活基礎調査」より作成

3　地域社会の変化

（1）都市の人口集中

　「令和2年国勢調査　人口等基本集計」（総務省統計局）によると、日本の人口は1億2614万6000人です。人口がもっとも多いのは東京都（1404万8000人）で、東京圏（東京都、神奈川県、埼玉県、千葉県）の人口は3691万4000人と全国の約3割（29.3％）を占めており、人口上位8都道府県（6398万4000人）で全国の5割以上（50.7％）を占めています。1950（昭和25）年時点では、東京圏の人口は全国の約15.5％、人口上位8都道府県の全国の人口に占める割合は35.2％でした。このことから、都市部に人口が集中している傾向がうかがえます。

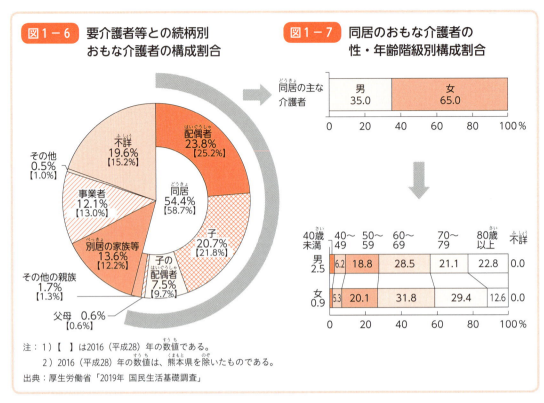

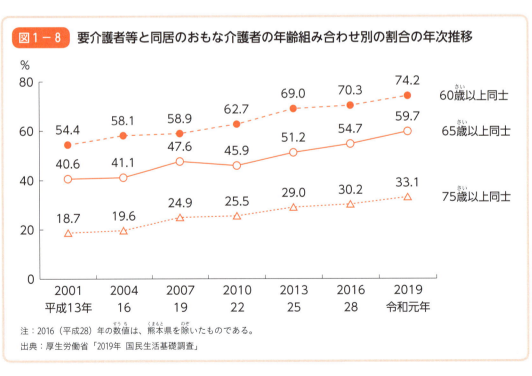

（2）地域でのつきあいについて

「社会意識に関する世論調査（令和2年1月調査）」（内閣府）の、現在の地域でのつきあいの程度を都市規模別にみると、図1－9のように、「つきあっている」とする人の割合（「よくつきあっている」＋「ある程度つきあっている」）は大都市が59.4％ともっとも低く、中都市、小都市、町村と規模が小さくなるにつれて、その割合は上昇しています。また、「つきあっていない」（「あまりつきあっていない」＋「まったくつきあっていない」）とする人の割合は町村が26.3％ともっとも低く、小都市、中都市、大都市と規模が大きくなるにつれて、その割合が上昇している傾向が読み取れます。

地域包括ケアシステムの構築にあたっては、自助、互助、共助、公助を組み合わせることが重要となりますが、都市部では強い互助を期待することがむずかしい傾向があり、互助で不足する部分は民間サービスを購入して自助でおぎなうなど、地域の特性をふまえた対応が求められます。

  介護ニーズの複雑化と多様化

次に、介護対象者の変化について確認します。

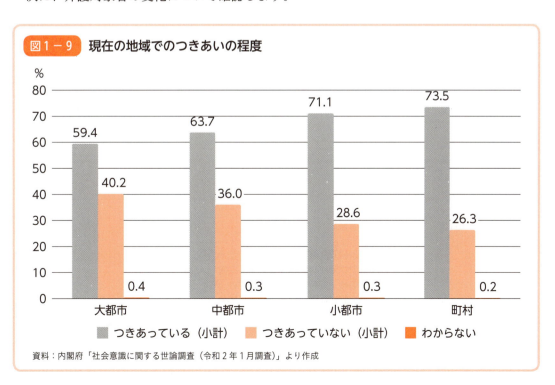

図1－9　現在の地域でのつきあいの程度

	大都市	中都市	小都市	町村
つきあっている（小計）	59.4	63.7	71.1	73.5
つきあっていない（小計）	40.2	36.0	28.6	26.3
わからない	0.4	0.3	0.3	0.2

資料：内閣府「社会意識に関する世論調査（令和2年1月調査）」より作成

（1）認知症高齢者の増加

　社会福祉士及び介護福祉士法の制定時、介護福祉士の定義規定に定める介護福祉士の行う介護は、いわゆる三大介護と呼ばれる、入浴、排泄、食事の介護が中心とされていました。しかし、介護の対象者の変化により、その内容は変化しています。

　図1－10は65歳以上の認知症患者の推定者と推定有病率を示しています。認知症高齢者は2012（平成24）年の約462万人（約7人に1人）から、2025（令和7）年には約700万人（約5人に1人）に増加すると推計されています。介護福祉士の行う介護が「入浴、排せつ、食事その他の介護」から、「心身の状況に応じた介護」に改められた背景には、このような認知症高齢者の増加を受け、従来の身体介護にとどまらない新たな介護サービスへの対応が求められたという実状がありました。

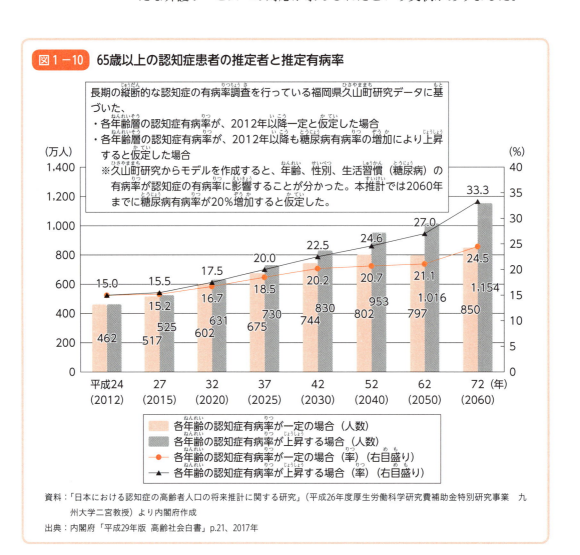

図1－10　65歳以上の認知症患者の推定者と推定有病率

資料：「日本における認知症の高齢者人口の将来推計に関する研究」（平成26年度厚生労働科学研究費補助金特別研究事業　九州大学二宮教授）より内閣府作成
出典：内閣府「平成29年版 高齢社会白書」p.21、2017年

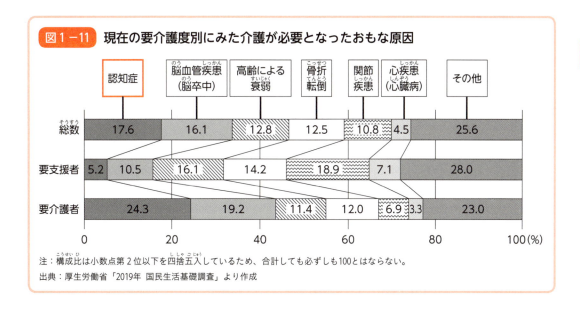

また、図1-11によると、**介護が必要となったおもな原因**[3]は認知症がもっとも多くなっています。このように増加する認知症高齢者の地域生活を支えるため、地域包括ケアシステムの構築や、認知症サポーターの養成が進められています。

（2）医療的ケアへの対応

介護福祉士の定義規定[4]は2011（平成23）年にも改正されています。その背景には、日常生活を営むのに喀痰吸引等の医療的ケアを必要とする利用者のニーズに対応するため、という理由がありました。介護職員は一定の条件を満たしたうえで、医師の指示のもと医療的ケアを実施することが可能となりました。

5 介護福祉職の多様化

このように介護現場では、介護需要の量的な増大に加えて、介護ニーズの複雑化、多様化への対応も求められているという背景があり、これらの課題に対応する介護人材が量・質の両面から求められています。

ここでは、介護福祉職の多様化について確認します。

（1）介護人材を取り巻く状況

先にみたように、日本では高齢化が急速に進んでいるため、高齢者を

---

[3] **介護が必要となったおもな原因**
2001（平成13）年の国民生活基礎調査では、脳血管疾患（脳卒中など）が27.7％ともっとも多く、認知症は10.7％であったが、2016（平成28）年の調査で認知症が18.0％と脳血管疾患（脳卒中）の16.6％を上回った。

[4] **介護福祉士の定義規定**
p.36、p.50参照

支える介護職員の確保は重要な課題となっています。図1-12の介護職員数の推移をみると、介護保険制度がスタートしてから、要介護(支援)認定者は、2000(平成12)年の244万人から、2019(令和元)年には667万人と増加しており、それに呼応して介護職員数も54.9万人から210.6万人に増加しています。

図1-13の第8期介護保険事業計画にもとづく介護職員の必要数についてによると、介護職員の必要数は今後も増加すると推計されており、

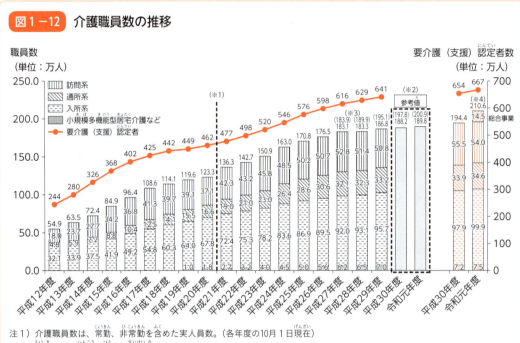

図1-12 介護職員数の推移

注1)介護職員数は、常勤、非常勤を含めた実人員数。(各年度の10月1日現在)
注2)調査方法の変更に伴い、推計値の算出方法に以下のとおり変動が生じている。
【出典】厚生労働省「介護サービス施設・事業所調査」(介護職員数)、「介護保険事業状況報告」(要介護(要支援)認定者数)

平成12～20年度	「介護サービス施設・事業所調査」(介サ調査)は全数調査を実施しており、各年度は当該調査による数値を記載。
平成21～29年度	介サ調査は、全数の回収が困難となり、回収された調査票のみの集計となったことから、社会・援護局において全数を推計し、各年度は当該数値を記載。(※1)
平成30年度～	介サ調査は、回収率に基づき全数を推計する方式に変更。一番右の2つのグラフ(平成30年度、令和元年度)は、当該調査による数値を記載。参考値は、平成29年度以前との比較が可能となるよう、社会・援護局において、介サ調査の結果に基づき、従前の推計方法により機械的に推計した数値。(※2)

注3)介護予防・日常生活支援総合事業(以下「総合事業」という。)の取扱い

平成27～30年度	総合事業(従前の介護予防訪問介護・通所介護に相当するサービス)に従事する介護職員は、介サ調査の対象ではなかったため、社会・援護局で推計し、これらを加えた数値を各年度の( )内に示している。(※3)
令和元年度～	総合事業も介サ調査の調査対象となったため、総合事業に従事する介護職員(従前の介護予防訪問介護・通所介護相当のサービスを本体と一体的に実施している事業所に限る)が含まれている。(※4)

出典:厚生労働省ホームページ

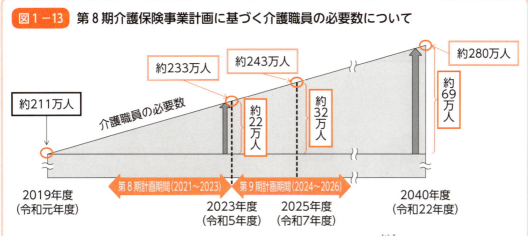

図1-13 第8期介護保険事業計画に基づく介護職員の必要数について

注1）2019年度（令和元年度）の介護職員数約211万人は、「令和元年介護サービス施設・事業所調査」による。
注2）介護職員の必要数（約233万人・243万人・280万人）については、足下の介護職員数を約211万人として、市町村により第8期介護保険事業計画に位置付けられたサービス見込み量（総合事業を含む）等に基づく都道府県による推計値を集計したもの。
注3）介護職員数には、総合事業のうち従前の介護予防訪問介護等に相当するサービスに従事する介護職員数を含む。
注4）2018年度（平成30年度）分から、介護職員数を調査している「介護サービス施設・事業所調査」の集計方法に変更があった。このため、同調査の変更前の結果に基づき必要数を算出している第7期計画と、変更後の結果に基づき必要数を算出している第8期計画との比較はできない。

出典：厚生労働省ホームページ

国として、①介護職員の処遇改善、②多様な人材の確保・育成、③離職防止・定着促進・生産性向上、④介護職の魅力向上、⑤外国人材の受け入れ環境整備など総合的な介護人材確保対策に取り組むこととしています。

　介護福祉職は、未経験者から介護福祉士まで多様な人材がいますが、これまでは図1-14の「現状」のように、役割が混在し、専門性が不明確であるという状況にありました。そこで、限られた人材を有効に活用するために、多様な人材層を類型化したうえで、それぞれの人材層が意欲・能力に応じた役割をになう**機能分化**が進められています。

　機能分化の一例として、人手を多く必要とする食事の際の配膳などの周辺業務を地域の元気高齢者等を雇用し、介護助手として、その役割をになってもらう取り組みがあります。介護福祉職の業務負担の軽減につながる効果や、介護助手として働くことによるやりがいの獲得などの効果が期待されています。

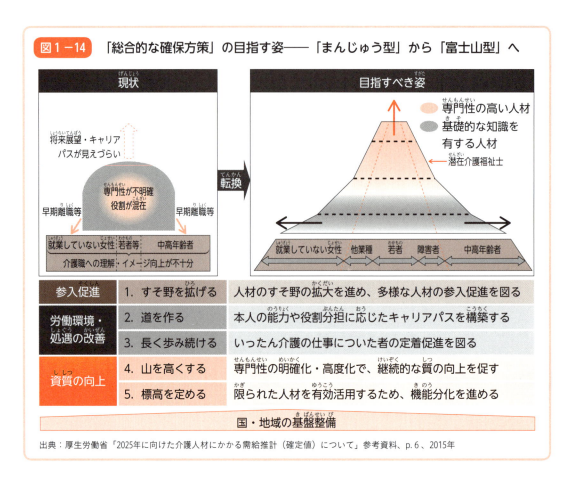

図1-14 「総合的な確保方策」の目指す姿──「まんじゅう型」から「富士山型」へ

出典：厚生労働省「2025年に向けた介護人材にかかる需給推計（確定値）について」参考資料、p.6、2015年

（2）介護福祉職の変化

次に、介護福祉職の変化について、男性介護福祉士の増加と、外国人介護人材の参入について確認します。

1 男性介護福祉士の増加

以前、介護業務をになうのは女性が中心であるという事情もあり、「寮母」という名称が使用されていました。その後、介護分野の従事者は大幅に増え、男性の参入が進みました。

介護福祉士国家試験合格者の男性割合は、第1回の8.3％から、第10回は13.0％、第20回は17.7％、第30回は30.4％と上昇しています（図1-15）。

2 外国人介護人材の参入

2020（令和2）年10月末現在「「外国人雇用状況」の届出状況まとめ」（厚生労働省）によると、およそ172万人の外国人労働者が日本で就労しており、外国人は日本の労働力を支える重要な存在となっています。この傾向は介護分野も同様であり、外国人の参入が進んできています。

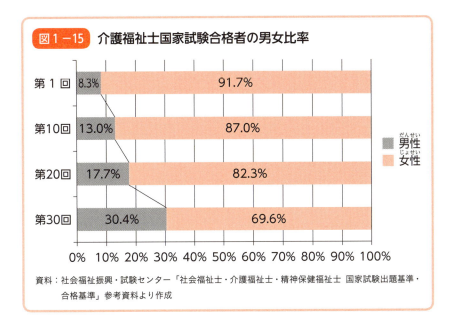

今後、介護現場において、日本人と外国人がともに仕事をする機会が多くなることが見込まれるため、外国人介護職員が介護分野で就労するしくみを理解することが重要です。外国人が介護分野で就労するしくみは図1－16のように、おもに4種類あります。

①EPA（経済連携協定）

　EPA（Economic Partnership Agreement）にもとづく介護福祉士候補者の受け入れは、2国間の経済活動の連携強化の観点から特例的に実施されているものです。協定上定められた4年間（一定の条件を満たした場合、1年間の滞在延長が認められます）の間に介護福祉士国家試験を受験し、合格した場合は日本の介護現場で継続して就労することが可能となります。2008（平成20）年度にインドネシア、2009（平成21）年度にフィリピン、2014（平成26）年度にベトナムの受け入れがスタートしました。

　2019（令和元）年度までのEPAにもとづく介護福祉士候補者の累計受け入れ人数は5063名、介護福祉士国家試験の合格者は1317名となっています。

②在留資格「介護」

　2017（平成29）年9月から、介護福祉士養成施設を卒業し、介護福祉士を取得した留学生は、介護福祉士として日本で就労することが可能となりました。この影響により、介護福祉士養成施設の留学生は増加傾向

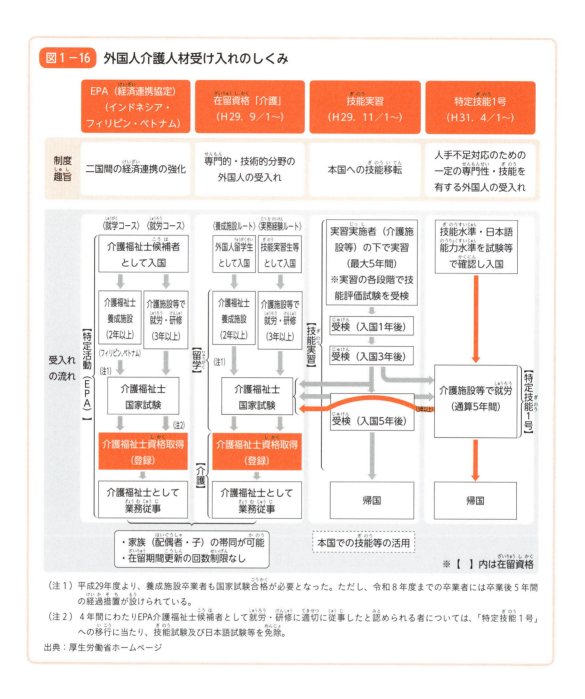

図1-16 外国人介護人材受け入れのしくみ

出典：厚生労働省ホームページ

にあり、2020（令和2）年度の介護福祉士養成施設の入学者7042名のうち、留学生は2395名と入学者の34％を占めています。

在留資格「介護」創設時、その対象は、介護福祉士養成施設で介護福祉士を取得した者に限定されていましたが、2020（令和2）年4月より実務経験ルートにもその対象が拡大され、技能実習や特定技能で実務経験を積み、介護福祉士国家試験に合格し、介護福祉士を取得した者も、在留資格「介護」の対象となりました。

「令和2年末現在における在留外国人数について」（法務省）によると、在留資格「介護」で就労している者は1714名となっています。

③介護職種の技能実習制度への追加

技能実習制度は、開発途上地域等への日本の技能等の移転による国際協力を推進することを目的とする制度です。技能実習制度は製造業が中心でしたが、2017（平成29）年11月に対人サービスとしてはじめて介護が追加されました。**技能実習生**は第1号（最長1年間）、第2号（最長2年間）、第3号（最長2年間）の、最長5年間日本で実習を行うことができます。

第1号技能実習から第2号技能実習へ移行するために必要となる技能実習評価試験の受検者は、2020（令和2）年度は4703名となっています。

④特定技能

人手不足対応のための一定の専門性・技能を有する外国人を受け入れるものです。2019（平成31）年4月より受け入れが開始されました。介護技能評価試験、日本語基礎テストまたは日本語能力試験（N4以上）、そして介護日本語評価試験に合格することで、最長5年間、介護分野で就労することが可能となります。

「特定技能在留外国人数（速報値）」（法務省）によると、2021（令和3）年9月末現在、3947人が就労しています。

また、上記の4つのしくみのほか、「定住者」や「永住者」、「日本人の配偶者」等の身分にもとづき在留する者や留学生のアルバイト等の資格外活動により、介護現場で就労することが可能です。

◆ 引用文献
1）新村出編『広辞苑 第7版』岩波書店、p.479、2018年
2）増井金典『日本語源広辞典』ミネルヴァ書房、p.165、2010年

◆ 参考文献
● 増井金典『日本語源広辞典』ミネルヴァ書房、2010年

 演習1-1　介護サービスと家族介護のバランス

　現代では介護の社会化が進んでいるが、家族による介護も行われている。
　あなたは、「【A】家族が要介護状態となった場合」「【B】自分が要介護状態となった場合」に、介護サービスと家族介護のバランスをどのようにしたいと考えているだろうか。自分の考えに近いものを①〜⑤のなかから1つ選んでみよう。また、その理由も書いて、グループで話し合ってみよう。

【A】家族が要介護状態となった場合	【B】自分が要介護状態となった場合
【介護のバランス】 ←介護サービス中心　　　　家族介護中心→ ①　　②　　③　　④　　⑤	【介護のバランス】 ←介護サービス中心　　　　家族介護中心→ ①　　②　　③　　④　　⑤
【理由】	【理由】

第 2 節 介護福祉の歴史

学習のポイント
- 老人福祉法が成立した社会的背景を理解する
- 介護保険法によって規定される介護の範囲を理解する
- 介護福祉士の定義規定の変遷について理解する

関連項目 ②『社会の理解』▶ 第3章「社会保障制度」

　高度化、複雑化、多様化する介護問題に対応するために、さまざまな政策的な対応がとられ、それにともない介護の概念も変化、拡大しています。

　本節では、①老人福祉法制定以前、②1970年代、③1980年代、④1990年代、⑤2000年以降に5区分し、おもな高齢者施策を概観しながら、現代にいたる介護の概念の変遷について学びます。

1 老人福祉法の制定にいたるまでの社会福祉政策

　社会福祉の分野において、専門職による「介護」が誕生した経緯を知るためには、これまでの高齢者に関する施策について理解する必要があります。介護福祉士として業務を行ううえで、自分の業務である「介護」が生まれた社会的背景を知ることはとても重要です。まずは明治以降のおもな社会福祉政策について確認します。

1 戦前の高齢者が対象となるおもな社会福祉政策

　明治以降、1874（明治7）年の**恤救規則**において、救済規定が定められました。これは、地縁・血縁にもとづく救済を強調したものでした。国家による救済の対象となる者は稼働能力がなく、扶養者のいない無告

の窮民であって、その対象はごく一部に限られていました。先にみた「陸軍軍人傷痍疾病恩給等差例」に介護という言葉がありましたが、この時代には介護に関するサービスや専門職は存在しませんでしたので、介護を行ったのは家族が中心であったと考えられます。

1932（昭和7）年には、救護法が施行され、恤救規則が廃止されました。救護法は、65歳以上の老衰者、13歳以下の幼者、妊産婦などの貧困者を対象としたものであり、被救護者の居住地の市町村が救済機関と定められました。救護を目的とする救護施設の1つとして、65歳以上の自立できない老衰者で扶養義務者がいないか、いても扶養能力がない場合に収容する養老院が創設されました。しかし、原則は居宅保護であり、収容は例外的な対応とされていました。

2 戦後、福祉六法成立までの流れ

1939（昭和14）年から始まった第2次世界大戦は1945（昭和20）年に終結しました。第2次世界大戦後の日本はさまざまな問題をかかえていましたが、もっとも大きな問題は社会全体の貧困でした。当時は食糧難で、餓死者が多く存在していました。このような国民の生活保障を目的として、1946（昭和21）年に旧生活保護法が制定されました。法第1条に「この法律は、生活の保護を要する状態にある者の生活を、国が差別的又は優先的な取扱をなすことなく平等に保護して、社会の福祉を増進することを目的とする」と明記されました。保護の対象を無差別平等としたことと、国家にその責任があることを明記した点は、これまでの政策と比較すると画期的なことでした。しかし、扶養義務者のある者や、勤労の意思のない者、素行不良者を除外する等の問題点もありました。

その後、戦争により、親を失った戦災孤児への対応が求められ、1947（昭和22）年に児童福祉法が制定されました。また、戦争により身体障害者となった者等の更生を目的として、1949（昭和24）年に身体障害者福祉法が制定されました。1950（昭和25）年には、旧生活保護法の欠格条項等の問題点を改善した（現行）生活保護法が制定され、旧生活保護法が廃止されました。養老院は、（現行）生活保護法において、名称が変わり、養老施設として位置づけられました。これらの生活保護法、児童福祉法、身体障害者福祉法は福祉三法と呼ばれます。この時期における社会福祉政策は経済的な保障を行う「救貧施策」が中心であったといえます。

その後、1960（昭和35）年に**精神薄弱者福祉法**（現・**知的障害者福祉法**）が制定されました。18歳未満の知的障害児は児童福祉法の対象となりますが、18歳以上の知的障害者への施策は存在しなかったため、対応する必要があったことがその背景にありました。そして1963（昭和38）年に老人問題への対応を目的とした**老人福祉法**が制定されました。また、1964（昭和39）年に戦争で夫を亡くした未亡人等の生活の安定と向上をはかる**母子福祉法**（現・**母子及び父子並びに寡婦福祉法**）が制定されました。先の福祉三法にこの三法を加えて、**福祉六法**といいます。

これらの法律のなかで、老人福祉法は、福祉分野において「介護」への社会的な対応が始まった、とても重要な法律です。老人福祉法が制定された経緯について詳しく確認します。

3　老人福祉法制定の背景

先にみたように、第2次世界大戦後の福祉三法の時代は、所得保障が大きな問題であり、「老人」を社会福祉の対象とみなす施策はありませんでした。しかし、戦後の復興が進むにつれて、新たな**老人問題**が発生しました。『厚生白書』が創刊された『厚生白書 昭和31年度版』には当時の老人問題について、以下のように記載されています。

> **『厚生白書 昭和31年度版』**
> 　老令者は、一般に、労働が困難あるいは不可能となることによって大多数の者が自分自身の収入の道を閉ざされる。老令に備える道は、公的なものとしては、一部に年金保険制度があるし、個人的には貯蓄をしておくというのも、むろん一つの方法である。しかし、このような備えのある者は幸いであるが、備えを持たない者の方がむしろ多いのが実情で、結局、多くの者は、親族の扶養を受けて余生を送るのが普通であろう。もちろん、戦前までは、それでよかった。というのは、貯蓄ということがある程度個人の力で容易になされえたし、また、厳然たる家族制度の存在が、大半の場合を解決したからである。
> 　しかし、戦争を境目として、国民の経済生活も社会生活も激変した。法律問題として親族関係がどう変わったか、ということはまた別問題として、子による親の扶養が、戦前ほどの至上命令ではなくなったことは、いなみがたい事実である。また、戦後の経済変動で、貯蓄が雲散霧消するという悲運に出会った老人も、少なくなかったであろう。
> 　このようにして、老人問題が、ようやく世間の関心をひくようになったのである。

『厚生白書 昭和31年度版』には、「老令者福祉の中核をなすものは、

何といっても所得の保障である」と記載されており、この時点において、介護に関する問題は取り上げられておらず、所得保障に重点がおかれていました。この問題に対応するため、1959（昭和34）年に**国民年金法**が制定されました。しかし、この時期から、これまで表面化していなかった所得保障以外の老人問題が発生することになります。

老人問題が所得保障から変化していく経過をみるために、『厚生白書』の昭和34年度版の記述の一部をみてみましょう。

> 『厚生白書 昭和34年度版』
> 　老後の生活保障については一応のみちが開けたのであるが、しかし、老人には老人特有の心理があるから、生活の経済的安定を図っただけでは不じゅうぶんであり、老人の福祉は、これを基盤にしてさらに精神的な安定感をもたらす施策が行なわれることにより、はじめて真に確立されるものといえよう。その現われが老人クラブ活動の育成であり、いわゆる有料老人ホームの建設であり、あるいは「としよりの日」の行事なのである。

　国民年金法制定後、老人の経済的安定だけでなく、精神的安定の必要性が認識されました。当時、老人を収容する施設としては、生活保護法にもとづく被保護者のための**養老施設**と、**有料老人ホーム**がありました。有料老人ホームは、ある程度の資力はあるが孤独であるとか、家族はいても家族と同居することがむずかしい老人のための施設でした。養老施設と有料老人ホームの中間の階層に位置する者への対応の必要性が指摘され、1960（昭和35）年に**軽費老人ホーム**が設置されました。この3施設を区分するものは「介護の程度」ではなく「所得」でした。

　その後、所得保障以外のニーズが表面化していきます。『厚生白書 昭和37年度版』をみてみましょう。

> 『厚生白書 昭和37年度版』
> 　養老施設収容者のうちには、精神上または身体上著しい欠陥があるため、常時介護を要する状態にある者が37年5月現在で約7,500人（全収容者の18％）いるが、これらの者を一般の者と分離して収容し、医学的管理のもとに適切な処遇を行なうことが、老人の健康の保持と施設管理の合理化の面から強く要請されるところである。
> 　また、生活保護階層でない老人のうちにも以上と同様の状態にあるものが約3万人程度あるものと見込まれ、これらは家庭内において必ずしも適切な看護を受けているとは限らないので、これらの者をも合せて収容する施設として諸外国にその例をみるナーシングホーム（看護施設）を計画的に設置してゆくことを考えなければならない。

このように、当時の養老施設に収容されている者は、老衰の程度が比較的軽いものから、常時臥床する程度の重いものまで、その程度が幅広い状況にありました。そのため、被収容者に対するケアの面と施設の効率的運営の面から、常時介護を必要とする、いわゆる寝たきり老人を収容する専門施設を制度化すべきであるという意見が強くありました。

このような状況を受け、1962（昭和37）年に社会福祉審議会は**特別養護老人ホーム**の設置と、**家庭奉仕員**の派遣を盛り込んだ「老人福祉施策の推進に関する意見」を報告しました。ここに、「介護」という言葉が用いられています。

> 社会福祉審議会「老人福祉施策の推進に関する意見」
> ・特別養護老人ホームの設置について
> 「精神上又は身体上著しい欠陥があるため常時介護を要する老人については、これに適した処遇を効率的に行なうため、その他の老人と区分して収容するための対策を講ずべきであり、このための特別の老人ホームの制度化についても検討すべきであること」
> ・家庭奉仕員の派遣について
> 「施設収容は要しないが、老衰、傷病等により日常生活に支障をきたす老人であって十分な介護を受けられない状態にあるものに対しては、家庭奉仕員を派遣しその家事、介護を行なう措置をとるべきである」

このように、当時の老人問題に対して、養老施設、有料老人ホーム、軽費老人ホームでは十分に対応できない状況がありました。所得保障とは異なる、介護を必要とする老人に対応する社会的な要請があったといえます。

4 老人福祉法による介護問題への対応

これらの老人問題に対応するため、1963（昭和38）年にはじめて「老人」を対象とした**老人福祉法**が制定されました。国会における老人福祉法の提案理由説明では、老齢人口のいちじるしい増加の傾向、私的扶養の減退、老人を取り巻く環境の急激な変動等により、老人の生活はきわめて不安定なものとなっており、老人福祉に関する諸施策を体系的に整備拡充し、他の関係諸施策と相まって、老人福祉施策を幅広く、強力に推進していくことが述べられています。

老人福祉法第1条の目的は以下のように規定されました。

> **老人福祉法**
> （目的）
> **第1条** この法律は、老人の福祉に関する原理を明らかにするとともに、老人に対し、その心身の健康の保持及び生活の安定のために必要な措置を講じ、もって老人の福祉を図ることを目的とする。

老人福祉法では介護を行う施策として、**特別養護老人ホーム**と**老人家庭奉仕員**（現在の訪問介護員に相当）が規定されました。生活保護法の養老施設は、**養護老人ホーム**に切りかえられ、表1-1の4施設が**老人福祉施設**として規定されました。

表1-1 老人福祉法によって規定された老人福祉施設

養護老人ホーム	65歳以上の者であって、身体上もしくは精神上または環境上の理由および経済的理由により居宅において養護を受けることが困難なものを収容し、養護することを目的とする施設
特別養護老人ホーム	65歳以上の者であって、身体上または精神上いちじるしい欠陥があるために常時の介護を必要とし、かつ、居宅においてこれを受けることが困難なものを収容し、養護することを目的とする施設
軽費老人ホーム	無料または低額な料金で、老人を収容し、給食その他日常生活上必要な便宜を供与することを目的とする施設（養護老人ホーム・特別養護老人ホームを除く）
老人福祉センター	無料または低額な料金で、老人に対して、各種の相談に応ずるとともに、健康の増進、教養の向上およびレクリエーションのための便宜を総合的に供与することを目的とする施設

注：老人福祉法制定当時の規定

（1）特別養護老人ホームについて

特別養護老人ホームは、老人福祉法第11条第1項第3号に、以下のように定められました。

> 老人福祉法
> （老人ホームへの収容等）
> **第11条** （略）
>   三　65歳以上の者であって、身体上又は精神上著しい欠陥があるために常時の介護を必要とし、かつ、居宅においてこれを受けることが困難なものを当該地方公共団体の設置する特別養護老人ホームに収容し、又は当該地方公共団体以外の者の設置する特別養護老人ホームに収容を委託すること。
> 注：制定当時

　この条文において「介護」という文言が使用されています。また、特別養護老人ホームへの収容の**措置**❶の実施については、次の(1)または(2)のいずれかに該当する場合に行うものとされました。

> 「老人ホームへの収容等の措置の実施について」（昭和38年7月31日社発第521号）
> (1) 身体上又は精神上の著しい障害のため、常時臥床しており、かつ、その状態が継続すると認められる場合。
> (2) 身体上又は精神上の著しい障害のため、常時臥床していないが、食事、排便、寝起き等日常生活の用の大半を他の介助によらなければならない状態にあり、かつ、その状態が継続すると認められる場合。

　特別養護老人ホームの特徴的な点は、経済的要件が課されていないことです。寝たきり老人については、所得に関係なく、その家庭の精神的、肉体的負担と老人の精神的負担が大きいため、経済的要件は課されませんでした。常時の介護を必要とする老人は、家庭において適切な介護を受けることが一般的に困難であり、後述する老人家庭奉仕員の派遣ではおぎないきれないため、特別養護老人ホームに収容して24時間介護を行うものでした。

　現在、介護老人福祉施設（特別養護老人ホーム）への入所は、介護保険法による契約によって行われますが、当時は行政による措置入所であったため、施設を利用することへの抵抗感は大きかったようです。

　施設の名称を「看護老人ホーム」とする案もあったようですが、医療関係法規との関係、医療従事者確保の困難さがあり、実現にはいたりませんでした。特別養護老人ホームにおいて入所者への生活のサポートは、これまでに養老施設で収容者の世話をしてきた**寮母**が担当することになりました。寮母が行う行為と**看護婦**❷（現・看護師）が行う**看護**を区別するために、寮母が行う日常生活上の支援を**介護**とし、法律に明記

❶**措置**
措置権者（市町村等）が対象者に対して行う行政処分のこと。対象者は契約制度のようにサービスを選択することはできない。現在、福祉サービスは基本的に契約制度となっているが、虐待対応等において措置は実施されている。

❷**看護婦**
当時、看護業務を行うのは女性が大多数であったため、看護婦という名称であったが、男女共同参画の観点から、2002（平成14）年に看護師に改称された。

されました。このことは家族以外の者が業務として介護をになうことになった契機といえます。また、業務上、共通部分のある看護と介護の差を明らかにする必要性が生まれたともいえます。

このようにして、常時介護を必要とする者の受け皿として、特別養護老人ホームはその数を増やしていきます（図1－17）。当初は養護老人ホームの施設数がもっとも多く、特別養護老人ホームの施設数は老人ホーム3施設のなかで少数でした。その後、順調に増加し、1980（昭和55）年には1000施設を超え、3施設のなかでもっとも多い施設となりました。つまり、経済的に困難な状況にある者に対応する養護老人ホームや軽費老人ホームよりも、介護を必要とする者に対応する特別養護老人ホームのほうが社会的ニーズが高くなりました。

（2）老人家庭奉仕員について

老人福祉法の制定により、特別養護老人ホームとともに、現在の訪問介護に相当する業務を行う**老人家庭奉仕員**が位置づけられました。老人家庭奉仕員の歴史について確認します。

この事業は老人福祉法制定前から、各自治体で自発的な取り組みが行

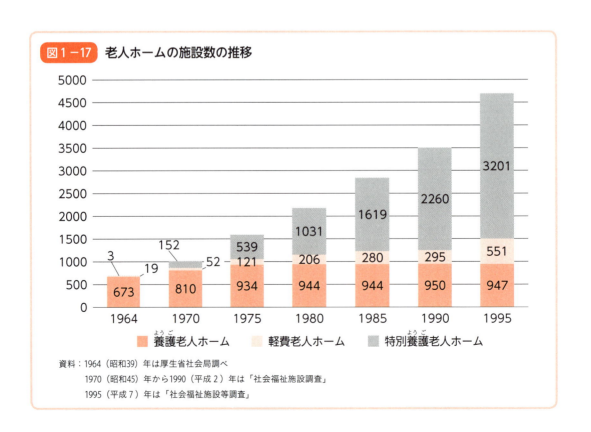

図1－17 老人ホームの施設数の推移

資料：1964（昭和39）年は厚生省社会局調べ
　　　1970（昭和45）年から1990（平成2）年は「社会福祉施設調査」
　　　1995（平成7）年は「社会福祉施設等調査」

われていました。代表的なものとしては、1956（昭和31）年の長野県での「家庭養護婦派遣事業」や1958（昭和33）年の大阪市の「臨時家政婦派遣制度」等の取り組みがあります。その成果が大きかったこと、諸外国にも類似の例があることなどから、国としてもこれを全国的に普及することを計画し、1962（昭和37）年度に厚生省は「老人家庭奉仕事業運営要綱」を定め、新たに国庫補助を始めました。

派遣の対象は「老衰、心身の障害、傷病等の理由により、日常生活に支障をきたしている老人の属する要保護老人世帯とする」「老人家庭奉仕員を派遣する要保護老人世帯総数の中に占める被保護老人世帯の割合は、おおむね50パーセント以上とする」とされました。

老人家庭奉仕員の行う業務は、**表1-2**に掲げるもののうち、必要と認められるものとされました。これによると、老人家庭奉仕員の業務は「家事」「介護」「相談、助言」に区分することができます。先に述べた特別養護老人ホームと同様に、業務内容として「介護」が位置づけられています。また現在の訪問介護と比較すると、現在のサービス区分は「身体介護」と「生活援助」ですが、「相談、助言」が独立していることが特徴としてあげられます。

要綱の基準によると、老人家庭奉仕員の派遣回数は1家庭あたり少なくとも週1回以上、老人家庭奉仕員1人あたりの担当はおおむね6家庭とされていました。通常は、1家庭に週2回派遣されていたようです。

『厚生白書 昭和37年度版』によると、この事業は、

- 長年住み慣れた住居を離れたくないために老人ホームへ入所しようとしない老人を安心して家庭に起居させることによる、老人ホームへの収容措置の代替的役割

表1-2 老人家庭奉仕員の業務

家事、介護に関すること	・食事の世話 ・被服の洗濯、補修 ・住居等の掃除 ・身のまわりの世話 ・その他必要な用務
相談、助言に関すること	・生活、身上に関する相談、助言 ・その他必要な相談、助言

- 老人家庭奉仕員の業務内容が中年の婦人に適していることから、中年婦人に就業の機会を与えるという副次的な効果

があったとされています。

しかし、この事業には次のような課題も存在していました。
- この事業の対象者は、貧困階層のしかも老衰のいちじるしい老人が大半であるため、老人家庭奉仕員の業務は容易なものではなく、むしろ文字どおり奉仕的な気持ちが必要であること
- 報酬は、月1万2000円程度であり、身分も臨時雇あるいは嘱託の場合が多く、老人家庭奉仕事業については、できるだけ早期に全国的に普及実施する必要があるとともに、老人家庭奉仕員の身分、待遇の適正化ということについて周到な考慮が払われなければならないこと

翌年の1963（昭和38）年に老人家庭奉仕員は老人福祉法第12条に、以下のように位置づけられました。

老人福祉法
（老人家庭奉仕員による世話）
第12条 市町村は、社会福祉法人その他の団体に対して、身体上又は精神上の障害があって日常生活を営むのに支障がある老人の家庭に老人家庭奉仕員（老人の家庭を訪問して老人の日常生活上の世話を行なう者をいう。）を派遣してその日常生活上の世話を行なわせることを委託することができる。
注：制定当時

老人家庭奉仕員の設置状況をみると、設置市町村数は、1962（昭和37）年は15であったのに対し、1963（昭和38）年は132、設置人員数は278人から530人に増加しています（厚生省社会局調べ）。

『厚生白書 昭和39年度版』によると、厚生省社会局の「第17回被保護者全国一斉調査結果」（昭和38年7月1日現在）から、老人家庭奉仕員の派遣を必要とする世帯数は、老人のみの被保護世帯12万2699世帯のうちの3万8616世帯であり、当時の対象世帯数が6000余であることから、早急な普及が望まれるとされました。

その後、老人家庭奉仕事業の設置状況を示す調査として、1971（昭和46）年の厚生省の実態調査がありますが、老人家庭奉仕員が設置されている割合は71.4％であり、およそ3割の自治体には設置されていませんでした。

2　1970年代────介護サービスの量的拡充がはかられる

　増大する介護需要に対応するべく、施設サービスと在宅サービスの量的な拡充がはかられました。しかし、介護に関する体系的な教育は行われておらず、認知症の人に対して、身体拘束が行われる等、今日の介護の基本理念である尊厳の保持や自立支援といった実践は、当時はまだ一般的ではありませんでした。

1　老人の収容施設の整備

　『厚生白書 昭和46年版』によると、1970（昭和45）年度末現在の推計において、ねたきり老人を収容している特別養護老人ホームは要収容者の3割程度しか収容能力を有していないとされ、需要に対応できていない状況が明らかになりました。これに関連し、中央社会福祉審議会は1970（昭和45）年に「社会福祉施設の緊急整備について」を答申し、「社会経済情勢の変動に即応して社会福祉施設を拡充整備するため、先に策定された新経済社会発展計画に沿って、その目標年度である昭和50年度までの5カ年程度を目途とする社会福祉施設緊急整備計画を樹立し、その実施を図るべきである」と提言しました。厚生省はこれを受け、1971（昭和46）年に社会福祉施設緊急整備5カ年計画を策定しました。これにより、緊急に収容保護する必要のある老人等の収容施設が重点的に整備され、量的な拡充がはかられることとなります。1970（昭和45）年度末の老人福祉施設の定員8万2200人（うち特別養護老人ホームは1万3700人）に対して、1975（昭和50）年度末の整備目標定員は、18万3100人（5万2300人）と設定されました。

2　老人医療費の無料化

　老人福祉法の改正により、1973（昭和48）年に老人医療費支給制度がスタートしました。これにより、70歳以上（寝たきり等の場合は65歳以上）の老人の医療費が無料となり、この年は福祉元年と呼ばれました。
　しかし、この施策は老人の安易な受診と、介護を必要とするものの、特別養護老人ホームに入所できない老人を、代替手段として医療施設に

❸社会的入院
医学的に入院の必要はなく、自宅療養が望ましい状態にある者が、介護を受けられる環境が整わないために入院を余儀なくされること。

❹認知症
従来「痴呆」と呼称されていたが、侮蔑的な表現である等の理由から、2004（平成16）年より「認知症」に改称された。

❺社会資源
福祉ニーズを充足させるために活用される人材、資金、施設、制度などの総称。

入院させるという、いわゆる**社会的入院❸**を招く結果となり、日本の医療費は増大することになりました。

3 在宅サービスの拡充

これまでの高齢者の介護に関する施策としては、特別養護老人ホームと老人家庭奉仕事業がありましたが、市町村を実施主体とした国の補助事業として、1978（昭和53）年に**ショートステイ**、1979（昭和54）年に**デイサービス**が創設され、在宅サービスを拡充しました。

4 介護に関する社会資源と体系的な教育の不足

1972（昭和47）年に、**認知症❹**の介護問題を題材とした有吉佐和子の『恍惚の人』がベストセラーとなり、認知症高齢者への対応が社会の関心を集めるようになりました。当時、認知症に対応する**社会資源❺**は十分ではありませんでした。また、社会的入院を余儀なくされた高齢者には、現在の介護保険法において原則禁止されている**身体拘束❻**が日常的に行われ、「自立支援」や「尊厳の保持」の視点は一般的なものではありませんでした。

保母（現・保育士）や医療関係職員等については、専門の学部や養成所等がありましたが、介護にたずさわる職種に関する体系的な教育はまだ実施されていませんでした。

---

❻**身体拘束**
身体拘束禁止の対象となる具体的な行為の例として、

・転落しないように、ベッドに体幹や四肢をひも等で縛る
・点滴・経管栄養等のチューブを抜かないように、ミトン型の手袋等をつける
・車いすから立ち上がったりしないように、Y字型抑制帯をつける
・おむつはずしを制限するために、介護衣（つなぎ服）を着せる
・行動を落ち着かせるために、向精神薬を過剰に服用させる

などがある。
利用者本人やほかの利用者の生命または身体を保護するために緊急やむをえない場合に認められるが、切迫性、非代替性、一時性の3つの要件を満たしたうえで、これらの要件の確認等の手続きがきわめて慎重に実施されている場合に限る。

---

3 1980年代──介護サービスの質的向上がはかられる

社会福祉士及び介護福祉士法が成立したことで、介護分野における体系的な専門職養成がスタートします。この時代の介護は、いわゆる三大介護（入浴・排泄・食事）といわれる身体介護が中心とされていました。

1 老人医療費の有料化

先にみた老人医療費の増加に対応するため、1982（昭和57）年に**老人保健法**（現・高齢者の医療の確保に関する法律）が制定され、翌年の1983

（昭和58）年より実施されます。これにより、原則70歳以上の老人の医療については、自己負担が導入され、老人医療費が有料となりました。

2 老人家庭奉仕員の派遣世帯の拡大

1981（昭和56）年に中央社会福祉審議会の「当面の在宅老人福祉対策のあり方について」（意見具申）において、老人家庭奉仕員の派遣世帯の拡大と有料制導入が提言されます。これを受け、1982（昭和57）年、老人家庭奉仕員派遣事業が改正されました。

おもな改正点は以下のとおりです。
- 派遣回数・時間数の増加
- 派遣対象の拡大
- 臨時的介護ニーズへの対応

この改正により、所得要件が撤廃され、対象者が拡大することになりました。

3 老人保健施設の創設等

1985（昭和60）年の社会保障制度審議会の「老人福祉の在り方について（建議）」において、「そもそも、重介護を要する老人にはいわば医療面のサービスと福祉面のサービスが一体として提供されることが不可欠であるので、この際、両施設を統合し、それぞれの長所を持ちよったいわば中間施設ともいうべき新しい形の介護施設として制度化することを真剣に検討する必要があると考える」と報告されました。これを受けて、1986（昭和61）年の老人保健法改正により、**老人保健施設**（現・介護老人保健施設）が創設され、1988（昭和63）年から本格実施されました。

対象者についても、「今後の老人福祉対策は、単に低所得者に限られることなく、ニーズを有するすべての老人を対象とすべきであり、そのためには、従来とかく低所得者対策の域を出なかった老人福祉政策の考え方を基本的に改める必要がある」と指摘されました。

4 社会福祉士及び介護福祉士法の制定

　1987（昭和62）年に、社会福祉士及び介護福祉士法が制定されます。その背景を理解するために、まず法案の成立に影響を与えた、日本学術会議社会福祉・社会保障研究連絡委員会報告について確認します。

　1987（昭和62）年2月25日に「社会福祉におけるケアワーカー（介護職員）の専門性と資格制度について（意見）――日本学術会議社会福祉・社会保障研究連絡委員会報告」が提出されました。この報告では、寮母職や家庭奉仕員などのケアワーカーに関する専門性と、資格制度について考慮すべき点が述べられています。

　ケアワーカーの専門性としては、以下の点があげられました。
・社会福祉に働く者としての倫理性や、みずからの役割認識
・さらに社会福祉制度への理解を前提として、現在の家政学などの成果を十分組み入れた家事援助
・個々の高齢者の自立度や病状など個別の事態に対応できるような介護
・さらに医療関係者とチームワークを組めるだけの教養を必要とする
・しかも、それらが1人ひとりの個別性に応じて統合化され、総合的に活用されるという点がもっとも問われる力量であり、その意味においてそれはいわば専門分化した専門性ではなく、諸科学を応用、総合するなかで、直接、生命と生活にかかわる専門性として、位置づけられなければならない性格のものである

　その後、1987（昭和62）年3月23日に中央社会福祉審議会等福祉関係三審議会の合同企画分科会から出された「福祉関係者の資格制度について（意見具申）」において、サービスの倫理と質を確保することが焦眉の急でありシルバーサービスに従事する者の資格制度の創設を行うことが現時点でもっとも有効である等、介護福祉士制度の導入の必要性が報告されました。

（1）「介護福祉士」という名称について

　1987（昭和62）年に社会福祉士及び介護福祉士法が制定され、介護分野における初の国家資格として介護福祉士が誕生しました。

　「介護福祉士」の名称について、資格創設にかかわった京極髙宣は次のように述べています。

　「……資格制度を作る際に、介護職をどのような呼称にするかが問題と

なった。そのとき『介護員』などでなく医療の世界から独立した福祉の世界で通用する『介護福祉士』という言葉が提案された。

いずれにしても、ソーシャルワークの専門職としての社会福祉士とケアワークの専門職としての介護福祉士をツインで作ろうということが法制化の狙いであったため、『介護福祉士』という名称は極めて適切であった。

ちなみに当時、看護学の世界では、『看護』が一番広い外延としてあり、その内側に『介護』があり、さらに介護の内側に『介助』があるとも言われたりした。介護は看護の一部だというような議論もある中で、介護の専門性や独自性が曖昧になってしまうことを避け、介護福祉士が中心になって行う介護サービスのことを『介護福祉』と位置づけたのである。介護は看護と一部分オーバーラップはしているが、必ずしも看護に包摂されないケアワークや生活支援という部分を含めて『介護福祉』と称したのである。」[1]

「介護福祉士」という名称は、「看護」との差別化をはかり、「介護」の専門性を確立させる願いが込められたものといえます。

（2）「介護福祉」の概念について

では、介護福祉士が中心となって行う介護福祉のサービスとはどのようなものでしょうか。先にみた、介護福祉士の創設に大きな影響を与えた日本学術会議会員であった一番ヶ瀬康子は「介護福祉」について、以下のように述べています。

「『福祉』とはいったい何でしょう。それは、『人間として基本的に生きる権利を保障する』ということだといわれています。つまり、『人間らしく生きることを保障する』ことです。

では『介護』とは何でしょう。『生活サイドのケアであると同時に、その利用者と介護者の共同作業である』と、私たちの日本介護福祉学会はとらえています。ですから『介護福祉』とは、『利用者の人間としての権利を、介護者が一緒に守る』ということになります。」[2]

この一番ヶ瀬の説明を手がかりに、「介護福祉」のサービス内容について具体的に考えてみたいと思います。「脳梗塞により片麻痺のある利用者の入浴介護」の場面を想定してみましょう。

利用者が片麻痺のために自分で身体を十分に洗うことができず、浴槽への移動が不安定である場合、介護者は利用者の洗身と移動の介護を行

います。しかし、介護者が入浴介護の際に、利用者の身体の清潔と、移動の際の転倒防止のみを意識することは、「介護」の実践であっても、「介護福祉」の実践とはいえないでしょう。

　利用者の人間としての権利を守るという観点から考えると、入浴は肌を露出するため、プライバシーへの配慮が必要となります。入浴前後の着替えの際、他者の目にふれないよう、プライバシーに配慮しなければなりません。また、健康面の配慮も必要です。入浴は皮膚の状態を観察する機会でもあり、皮膚に異常がないかさりげなく観察し、必要に応じて医療職に報告する必要があります。脱衣室と浴室との温度差が大きいと、利用者の身体に大きな負担となり、ヒートショックを起こす危険性があるため温度の配慮も必要であり、高齢者は脱水症状を起こしやすいため、入浴の前後には水分補給が必要となります。

　洗身の介護において、利用者のできない部分を支援することは大切ですが、介護は自立支援の観点から残存能力の活用を意識しなければならず、過剰な介護とならないよう、介護の程度やタイミングは利用者の体調や身体機能に応じて見極めなければなりません。また、入浴には身体を清潔にするだけでなく、心身をリフレッシュする効果も期待されますので、季節に応じて柚子湯などを用意すると利用者の精神的な満足もえられるでしょう。

　このように入浴介護における「介護福祉」の実践は、「プライバシーへの配慮」「健康面への配慮」「医学的な観点からの観察」「自立支援」「精神的な満足度の充足」など、さまざまな観点をふまえたうえで行われなければなりません。利用者が幸せに日々の生活を送ることができるように、利用者の権利を守り、専門的な知識や技術にもとづいた根拠のある介護を実践することが、「介護福祉」の実践といえます。このような人権思想を基盤とした「介護福祉」の概念は、介護福祉士の創設により明らかとなり、「介護」にとどまらない「介護福祉」のサービスが展開されていくこととなりました。

(3) 介護福祉士の定義規定について

　1987（昭和62）年の法制定時、介護福祉士の定義は社会福祉士及び介護福祉士法第2条第2項において、以下のように規定されました。

> 社会福祉士及び介護福祉士法
> （定義）
> 第2条　（略）
> 2　この法律において「介護福祉士」とは、第42条第1項の登録を受け、介護福祉士の名称を用いて、専門的知識及び技術をもって、身体上又は精神上の障害があることにより日常生活を営むのに支障がある者につき入浴、排せつ、食事その他の介護を行い、並びにその者及びその介護者に対して介護に関する指導を行うこと（以下「介護等」という。）を業とする者をいう。
> 注：制定当時

法において、介護福祉士の業として、
・いわゆる三大介護（入浴、排泄、食事）と呼ばれる身体介護
・介護を受ける者と介護者に対して介護に関する指導を行うこと
が定義されました。

資格には、医師のように、その資格を有していない限りその業務を実施することができない**業務独占**の資格と、その資格を有していなくてもその業務を行うことができるが、その名称を使用することができない**名称独占**の資格があります。介護福祉士は名称独占の資格とされました。

介護福祉士の誕生は、介護が「だれにでもできる仕事」から「専門性のある仕事」となった契機といえます。

介護福祉士創設時の介護福祉士養成施設の教育課程の時間数は1500時間でした。このあと、時代の要請にこたえ、介護福祉士に求められる役割は拡大、変化していきます（第2章第3節参照）。

5　ゴールドプランの策定

1989（平成元）年12月に、21世紀の高齢化社会に対応すべく、在宅福祉サービスの充実、高齢者のための総合的な保健福祉対策を盛り込んだ**高齢者保健福祉推進十か年戦略（ゴールドプラン）**が策定されました。消費税を財源として、10年という長期間で、福祉の充実をはかるものであり、介護の社会化を推進するものでした。**ホームヘルパー、デイサービス、ショートステイ**の目標値が定められ、**ねたきり老人ゼロ作戦**として、機能訓練や健康教育などの整備、保健婦・看護婦等による在宅介護指導員の計画的な配置が行われました。

4　1990年代——今日の介護実践における基本的な概念が整理される

今日の介護概念の基礎となる<u>自立支援</u>の重要性が注目されます。また、<u>社会福祉基礎構造改革</u>が行われ、福祉サービスの基本的枠組みが変わります。さらに、2000（平成12）年からスタートする介護保険制度に対応できるよう、介護福祉士養成課程の見直しが行われ、介護保険制度の教育内容の追加や医療連携に必要な医学知識の強化が行われました。

1　高齢化率の進展について

1990（平成2）年に高齢化率は12.0％となり、高齢社会となる14.0％が目前となります。<u>高齢化社会</u>（高齢化率が<u>7％</u>を超えた社会）から<u>高齢社会</u>（高齢化率が<u>14％</u>を超えた社会）に到達するまでの期間を<u>倍加年数</u>といいます。日本は高齢化社会となってから、わずか24年で高齢社会を迎えました（図1－18）。これは世界のなかでもトップクラスの速さであり、介護問題へのすみやかな対応が求められることとなりました。

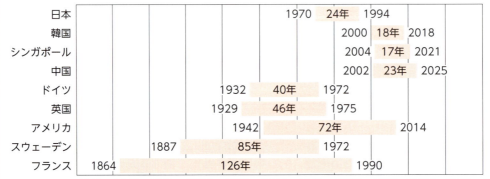

図1－18　主要国における高齢化率が7％から14％へ要した期間

資料：国立社会保障・人口問題研究所「人口統計資料集」（2021年）
（注）1950年以前はUN, The Aging of Population and Its Economic and Social Implications（Population Studies, No.26, 1956）及びDemographic Yearbook、1950年以降はUN, World Population Prospects : The 2019Revision（中位推計）による。ただし、日本は総務省統計局「国勢調査」、「人口推計」による。1950年以前は既知年次のデータを基に補間推計したものによる。
出典：内閣府『令和3年版 高齢社会白書』p.8、2021年

2 福祉関係八法改正

1990（平成2）年に「老人福祉法等の一部を改正する法律」が公布されました（いわゆる福祉関係八法改正）。これまでは補助事業であった、デイサービス、ショートステイなどの在宅サービスが、老人福祉法における老人福祉施設として、老人デイサービスセンター、老人短期入所施設として明確に位置づけられました。これにより、福祉サービスは、施設サービスから**在宅サービス**にシフトしていくこととなります。

社会福祉事業法も改正され、これまで「援護、育成又は更生の措置を要する者」とされていた対象者が「福祉サービスを必要とする者」となり、社会福祉の対象が拡大されました。

さらに市町村および都道府県に**老人保健福祉計画**の策定が義務づけられました。

3 老人訪問看護制度の創設

在宅の老人が訪問看護を受ける機会を拡大し、地域における保健・医療・福祉の連携にもとづく生活の質に配慮した在宅医療の推進をはかるため、1991（平成3）年に老人保健法（現・高齢者の医療の確保に関する法律）が改正され、翌年から**老人訪問看護制度**が創設されました。

4 新ゴールドプランの策定

地方老人保健福祉計画が1993（平成5）年度に取りまとめられ、ゴールドプランの目標値を上回る介護整備の必要性が明らかとなりました。これにともない、1994（平成6）年12月に、**新・高齢者保健福祉推進十か年戦略（新ゴールドプラン）**が策定されました（表1－3）。新ゴールドプランでは、老人訪問看護などの新たなサービスの目標値が設定されました。また、ゴールドプランでは示されなかった、マンパワーの養成確保として、寮母、介護職員を20万人確保する目標が掲げられました。

表1−3 ゴールドプランと新ゴールドプランの目標値

在宅サービス		ゴールドプラン	新ゴールドプラン
	ホームヘルパー	10万人	17万人
	ホームヘルパーステーション	−	1万か所
	ショートステイ	5万床	6万人分
	デイサービス／デイケア	1万か所	1.7万か所
	在宅介護支援センター	1万か所	1万か所
	老人訪問看護ステーション	−	5000か所
施設サービス		ゴールドプラン	新ゴールドプラン
	特別養護老人ホーム	24万床	29万人分
	老人保健施設	28万床	28万人分
	高齢者生活福祉センター	400か所	400か所
	ケアハウス	10万人	10万人分
マンパワーの養成確保		ゴールドプラン	新ゴールドプラン
	寮母・介護職員	−	20万人
	看護職員等	−	10万人
	OT・PT	−	1.5万人

5 介護保険法の制定に向けて

1994(平成6)年12月に高齢者介護・自立支援システム研究会は「新たな高齢者介護システムの構築を目指して」を報告し、高齢者の自立支援について、高齢者がみずからの意思にもとづき、自立した質の高い生活を送ることができるように支援することが今後の高齢者介護の基本理念であると述べ、介護保険の制定に大きな影響を与えました。

6 社会福祉基礎構造改革

これまでみてきたように、戦後、福祉サービスの枠組みは変化してきました。そこで、社会福祉事業の根幹となる社会福祉事業法(現・社会

福祉法）を見直す必要が生じます。1998（平成10）年6月に中央社会福祉審議会社会福祉構造改革分科会は「社会福祉基礎構造改革について（中間まとめ）」を公表し、1999（平成11）年4月に厚生省は「社会福祉基礎構造改革について」を発表しました。

具体的な改革の方向は以下の3点です。
①個人の自立を基本とし、その選択を尊重した制度の確立
②質の高い福祉サービスの拡充
③地域での生活を総合的に支援するための地域福祉の充実

改正のおもな内容は以下の4点です。
①利用者の立場に立った社会福祉制度の構築
②サービスの質の向上
③社会福祉事業の充実・活性化
④地域福祉の推進

7 ゴールドプラン21の策定

新ゴールドプランを引き継ぐ形で、1999（平成11）年に**今後5か年間の高齢者保健福祉施策の方向（ゴールドプラン21）**が策定され、2000（平成12）年より実施されました。期間は、2000（平成12）年度から2004（平成16）年度までの5か年とされ、基本的な目標として、以下の4点が示されました。
・活力ある高齢者像の構築
・高齢者の尊厳の確保と自立支援
・支え合う地域社会の形成
・利用者から信頼される介護サービスの確立

8 介護福祉士教育課程の見直し

2000（平成12）年からの介護保険制度の実施にともない、介護福祉士に求められる新たな役割に対応するため、1999（平成11）年に「社会福祉士養成施設等における授業科目の目標及び内容並びに介護福祉士養成施設等における授業科目の目標及び内容について」（昭和63年2月12日社庶第26号）が改正されました。これにより、介護福祉士養成施設のカ

リキュラムが1500時間から1650時間に増加しました。追加、強化されたおもな内容は以下のとおりです。

- 介護保険制度、ケアマネジメント
- 人権尊重、自立支援
- 医療連携に必要な医学知識
- 介護過程の展開方法
- 訪問介護実習

5 2000年以降——今日の介護サービスの基本的枠組みが整備され、介護概念が拡大する

　自立支援を基本理念とする介護保険法が施行され、今日の介護サービスの基本的枠組みが整備されました。認知症高齢者の増加にともない、精神面を含めた介護が重視されるようになり、介護福祉士が行う介護に**医療的ケア**が追加され、介護の概念は拡大しました。

1 介護保険法について

（1）介護保険制度導入の背景

　介護保険法は1997（平成9）年に成立し、2000（平成12）年に施行されました。介護保険法は、これまでの老人福祉と老人医療を統合する内容となっています。介護保険法が成立した背景を確認します。

　介護をめぐる社会的な状況の変化として、
- 高齢化の進展にともない、要介護高齢者の増加、介護期間の長期化など、介護ニーズの増大
- 核家族化の進行、介護する家族の高齢化など、要介護高齢者を支えてきた家族をめぐる状況の変化

がありました。この状況は老人福祉法が制定された社会的背景と類似していますが、1963（昭和38）年の高齢化率6.1％に対して、2000（平成12）年は17.3％と倍以上となっており、対応の必要性、深刻度は非常に高くなっていました。

　介護保険制度が創設される以前の高齢者への介護施策には、特別養護老人ホーム等の老人福祉制度と、老人保健施設等の老人医療制度があり

表1-4 特別養護老人ホームと老人保健施設の問題点

特別養護老人ホーム	老人保健施設
・利用者がサービスを選択できない ・利用に抵抗感をともなう ・応能負担であるため、中高所得層の負担が重い	・社会的入院が多い ・長期療養する場としては体制が不十分

ましたが、従来の老人福祉・老人医療制度による対応には限界があり、それぞれ表1-4のような問題点をかかえていました。

（2）介護保険制度の基本的な考え方

　介護保険は、先にみた「**新たな高齢者介護システムの構築を目指して**」（高齢者介護・自立支援システム研究会）の内容をふまえ、以下の内容がおもな柱となりました。

1 高齢者の自立支援

　単に介護を要する高齢者の身のまわりの世話をするということを超えて、高齢者の自立を支援することを理念とするものです。

　「全介助」は介護を提供する時間の短縮になるかもしれませんが、必要以上の介護は利用者の残存能力をうばう危険性があります。安易に「全介助」をするのではなく、「自立支援」という目標を達成するために、利用者の心身の状態に応じて、「一部介助」や「見守り」など、適切な介護方法を提供しなければなりません。なお、**自立支援**については、**介護保険法第1条**において、以下のように定められました。

介護保険法

（目的）

第1条　この法律は、加齢に伴って生ずる心身の変化に起因する疾病等により要介護状態となり、入浴、排せつ、食事等の介護、機能訓練並びに看護及び療養上の管理その他の医療を要する者等について、これらの者が<u>その有する能力に応じ自立した日常生活を営むことができるよう</u>、必要な保健医療サービス及び福祉サービスに係る給付を行うため、国民の共同連帯の理念に基づき介護保険制度を設け、その行う保険給付等に関して必要な事項を定め、もって国民の保健医療の向上及び福祉の増進を図ることを目的とする。

注：制定当時
※下線は筆者

第1章　介護福祉の基本となる理念

第2節　介護福祉の歴史

2 利用者自身による選択

　介護保険制度では、これまでの措置制度とは異なり、利用者の選択により、多様な主体から保健医療サービス、福祉サービスを総合的に受けられるものとなりました。

　なお、2000（平成12）年には、社会福祉事業法が**社会福祉法**に改称されました。社会福祉法第1条は以下のように定められ、**福祉サービス利用者**が法律上、明確に位置づけられました。

社会福祉法
（目的）
第1条　この法律は、社会福祉を目的とする事業の全分野における共通的基本事項を定め、社会福祉を目的とする他の法律と相まって、<u>福祉サービスの利用者の利益の保護及び地域における社会福祉の推進を図る</u>とともに、社会福祉事業の公明かつ適正な実施の確保及び社会福祉を目的とする事業の健全な発達を図り、もって社会福祉の増進に資することを目的とする。

※下線は筆者

　これにより、福祉サービスは、行政が措置制度により対象者を選定するのではなく、利用者が**契約制度**によりサービス事業者を選択するしくみとなりました。今日、一般的に使用される**利用者**という表現には、このような意味が込められていることを理解する必要があります。

3 社会保険方式

　介護保険制度は、給付と負担の関係が明確な**社会保険方式**を採用しました。保険者を市町村および特別区（以下、市町村）とし、第1号被保険者を市町村の区域内に住所を有する65歳以上の者、第2号被保険者を市町村の区域内に住所を有する40歳以上65歳未満の医療保険加入者としました。自分や親の介護への関心が高まる年齢として、40歳以上が被保険者とされました。

　介護保険制度が始まる前の老人福祉制度では、中高所得者にとって、利用料負担が大きいことが指摘されていましたが、介護保険制度の利用料は原則1割負担（現在は、第1号被保険者のうち一定以上の所得がある場合は2割または3割負担）とされました。

　従来の福祉サービスにおいては、その制度の利用に際して、抵抗感をともなうという問題点が指摘されていましたが、医療保険と同様に社会保険方式を採用することで、こうした抵抗感は軽減されました。

第2節 介護福祉の歴史

2 「身体拘束ゼロへの手引き」の作成

介護保険法では、原則として**身体拘束**を行うことが禁止されました。**介護保険施設**[7]等では安易に身体拘束を行っているケースが多いのではないか、との問題意識から、2000（平成12）年6月に「身体拘束ゼロ作戦推進会議」（厚生省）が設置されました。

こういった禁止行為については、通達を発出し、禁止事項を列挙することが一般的な対応ですが、「現場の人たちの心に届くものを」という想いから「**身体拘束ゼロへの手引き**——高齢者ケアに関わるすべての人に」が作成されました。手引きでは、実際のケアに役立つよう、身体拘束をせずにケアを行うための基本的な考え方を紹介するとともに、廃止を実現した具体的な事例が数多く盛り込まれました。

利用者の尊厳を保持することを目的とし、介護保険制度等では、介護職員による身体拘束や虐待等の禁止行為が規定されています。介護を実践するうえで、これらの禁止規定に抵触しないよう、留意する必要があります。

> [7] **介護保険施設**
> 介護老人福祉施設、介護老人保健施設、介護医療院、介護療養型医療施設の4施設をさす。なお、介護療養型医療施設は2024（令和6）年3月31日までに廃止される予定である。

3 訪問介護における介護サービスの内容

介護保険は社会保険制度であり、保険料と税金によって運営されます。そのため、介護保険制度によって提供されるサービスは、利用者が望むことをすべて行うことはできず、法令で定められた範囲内でサービスを提供しなければなりません。たとえば、ペットの世話、生活必需品以外の買い物、大掃除、利用者以外への食事の提供は介護保険外のサービスとなります。

訪問介護におけるサービス内容は、「訪問介護におけるサービス行為ごとの区分等について」（平成12年3月17日老計第10号）によって定められています。訪問介護のサービス区分から、介護の内容についてみてみましょう（図1-19）。

訪問介護のサービスは大きく、①**身体介護**、②**生活援助**[8]の2区分に分類されます。

老人家庭奉仕員の業務では「相談、助言」が独立していましたが、介護保険制度では、「相談援助」は身体介護と生活援助に含まれています。2018（平成30）年の改正によって、身体介護で算定できる「自立生活支

> [8] **生活援助**
> 介護保険法制定時は「家事援助」であり、2003（平成15）年の改正により、「生活援助」となった。

図1-19 訪問介護における身体介護と生活援助のサービス内容

【身体介護】
① 利用者の身体に直接接触して行う介助サービス（そのために必要となる準備、後かたづけ等の一連の行為を含む）
② 利用者のADL・IADL・QOLや意欲の向上のために利用者と共に行う自立支援・重度化防止のためのサービス
③ その他専門的知識・技術（介護を要する状態となった要因である心身の障害や疾病等に伴って必要となる特段の専門的配慮）をもって行う利用者の日常生活上・社会生活上のためのサービスをいう。（仮に、介護等を要する状態が解消されたならば不要となる行為であるということができる。）

【生活援助】
身体介護以外の訪問介護であって、掃除、洗濯、調理などの日常生活の援助（そのために必要な一連の行為を含む）であり、利用者が単身、家族が障害・疾病などのため、本人や家族が家事を行うことが困難な場合に行われるものをいう。（生活援助は、本人の代行的なサービスとして位置づけることができ、仮に、介護等を要する状態が解消されたとしたならば、本人が自身で行うことが基本となる行為であるということができる。）

【身体介護のサービス行為ごとの区分】

サービス準備・記録等
・健康チェック ・環境整備 ・相談援助、情報収集・提供 ・サービス提供後の記録等

排泄・食事介助
・排泄介助 ・食事介助 ・特段の専門的配慮をもって行う調理

清拭・入浴、身体整容
・清拭（全身清拭） ・部分浴 ・全身浴 ・洗面等 ・身体整容（日常的な行為としての身体整容） ・更衣介助

体位変換、移動・移乗介助、外出介助
・体位変換 ・移乗・移動介助 ・通院・外出介助

起床及び就寝介助
・起床・就寝介助

服薬介助

自立生活支援・重度化防止のための見守り的援助
（自立支援、ADL・IADL・QOL向上の観点から安全を確保しつつ常時介助できる状態で行う見守り等）

【生活援助のサービス行為ごとの区分】

サービス準備等
・健康チェック ・環境整備 ・相談援助、情報収集・提供 ・サービスの提供後の記録等

掃除

洗濯

ベッドメイク

衣類の整理・被服の補修

一般的な調理、配下膳

買い物・薬の受け取り

資料：「訪問介護におけるサービス行為ごとの区分等について」（平成12年3月17日老計第10号）より作成

援・重度化防止のための見守り的援助」として、掃除や移乗、服薬などが新たに明文化されました。

4 原則として医行為ではないと考えられる行為

　介護保険制度がスタートした当初、介護の現場では医行為と介護業務の線引きがあいまいであったため、混乱が生じていました。そのような状況に対応するために、2005（平成17）年に厚生労働省は「医師法第17条、歯科医師法第17条及び保健師助産師看護師法第31条の解釈について」（平成17年7月26日医政発第0726005号）を発出しました（**表1-5**）。
　この通知によって示される11の行為は、実施の範囲内、または一定の条件を満たしたうえで、介護職員が実施することが可能です。

5 介護福祉士の定義規定の変遷

　1987（昭和62）年に社会福祉士及び介護福祉士法が制定されたあと、認知症高齢者の増加、医療的ニーズをもつ利用者の増加など、介護を取り巻く状況は変化してきました。そのような状況に対応するため、介護福祉士の定義規定は変化しています。
　図1-20は介護福祉士の定義規定の変遷です。これまでに2回の改正が行われています。改正のポイントを確認しましょう。

（1）2007（平成19）年の改正

　2007（平成19）年の改正では、介護福祉士の行う介護の内容が、「入浴、排せつ、食事その他の介護」という、いわゆる三大介護から、「心身の状況に応じた介護」に改正されました。これにより、身体的な面だけでなく、精神的な面を含めた介護が重視されることとなりました。
　この改正の背景には、認知症高齢者の増加があります。2003（平成15）年に高齢者介護研究会より「2015年の高齢者介護——高齢者の尊厳を支えるケアの確立に向けて」が報告され、以下の4項目を重視することが述べられました。
① 介護予防・リハビリテーションの充実
② 生活の継続性を維持するための、新しい介護サービス体系
③ 新しいケアモデルの確立：痴呆性高齢者ケア（現・認知症高齢者ケ

表1-5　医行為ではないとして介護職員が実施することが可能な行為

行為	実施の範囲・条件
体温測定	・水銀体温計・電子体温計による腋下での体温計測 ・耳式電子体温計による外耳道での体温測定
血圧測定	・自動血圧測定器による血圧の測定
酸素飽和度測定	・新生児以外の者であって入院治療の必要がないものに対する、パルスオキシメータを装着した動脈血酸素飽和度の測定
創傷処置	・軽微な切り傷、擦り傷、やけど等の、専門的な判断や技術を必要としない処置（汚物で汚れたガーゼ交換を含む）
医薬品の使用介助 ・皮膚への軟膏の塗布（褥瘡の処置を除く） ・皮膚への湿布の貼付 ・点眼薬の点眼 ・一包化された内用薬の内服（舌下錠の使用も含む） ・肛門からの坐薬挿入 ・鼻腔粘膜への薬剤噴霧	医師（歯科医師）または看護職員が ① 患者が入院・入所して治療する必要がなく容態が安定していること ② 医師または看護職員による連続的な容態の経過観察（副作用の危険性や投薬量の調整等）が必要ではないこと ③ 内用薬については誤嚥の可能性、坐薬については肛門からの出血の可能性など、当該医薬品の使用方法そのものについて専門的な配慮が必要ではないこと の3条件を満たしていることを確認し、 ・医師（歯科医師）または看護職員の免許を有しない者による医薬品の使用の介助ができることを本人または家族に伝え ・事前の本人または家族の具体的な依頼にもとづき ・医師の処方を受け、あらかじめ薬袋等により患者ごとに区分し授与された医薬品について ・医師（歯科医師）の処方および薬剤師の服薬指導のうえ、看護職員の保健指導・助言を遵守する
爪切り	・爪そのものに異常がなく、爪の周囲の皮膚にも化膿や炎症がなく、かつ、糖尿病等の疾患にともなう専門的な管理が必要でない場合に、その爪を爪切りで切ることおよび爪ヤスリでのやすりがけ
口腔ケア	・重度の歯周病等がない場合の日常的な口腔内の刷掃・清拭（歯ブラシ、綿棒、巻き綿子などを用いて、歯、口腔粘膜、舌に付着している汚れを取り除き、清潔にすること）
耳垢ケア	・耳垢の除去（耳垢塞栓の除去を除く）
ストマケア	・ストマ装具のパウチにたまった排泄物を捨てること（肌に接着したパウチの取り替えを除く）※
自己導尿サポート	・自己導尿を補助するための、カテーテルの準備、体位の保持
浣腸	・市販のディスポーザブルグリセリン浣腸器（＊）を用いた浣腸 ＊挿入部の長さ：5～6cm程度以内 グリセリン濃度：50％ 容量：成人用：40g程度以下、6歳～12歳未満の小児用：20g程度以下、1歳～6歳未満の幼児用：10g程度以下

※：2011（平成23）年、厚生労働省より、ストマおよびその周辺の状態が安定し専門的な管理が必要とされない場合、パウチの交換は原則として医行為には該当しないとされる通知が出された。

注：・業として行う場合には実施者に対して一定の研修や訓練が行われることが望ましいことは当然であり、介護サービス等の場で就労する者の研修の必要性を否定するものではない。
　　・介護サービスの事業者等は、事業遂行上、安全にこれらの行為が行われるよう監督することが求められる。
　　・医薬品の使用の介助が福祉施設等において行われる場合には、看護職員によって実施されることが望ましく、また、その配置がある場合には、その指導のもとで実施されるべきである。

資料：「医師法第17条、歯科医師法第17条及び保健師助産師看護師法第31条の解釈について」（平成17年7月26日医政発第0726005号）より作成

図1-20 介護福祉士の定義規定の変遷

社会福祉士及び介護福祉士法
（定義）
第2条　（略）
2　この法律において「介護福祉士」とは、第42条第1項の登録を受け、介護福祉士の名称を用いて、専門的知識及び技術をもって、身体上又は精神上の障害があることにより日常生活を営むのに支障がある者につき【①　心身の状況に応じた介護　②（喀痰吸引その他のその者が日常生活を営むのに必要な行為であって、医師の指示の下に行われるもの（厚生労働省令で定めるものに限る。以下「喀痰吸引等」という。）を含む。）】を行い、並びにその者及びその介護者に対して介護に関する指導を行うこと（以下「介護等」という。）を業とする者をいう。

【社会福祉士及び介護福祉士法における介護福祉士の定義規定の変遷】

【1987（昭和62）年制定時】	【①2007（平成19）年改正】	【②2011（平成23）年改正】
「……身体上又は精神上の障害があることにより日常生活を営むのに支障がある者につき入浴、排せつ、食事その他の介護を行い、……」	「入浴、排せつ、食事その他の介護」 ↓ 「心身の状況に応じた介護」に改正	「応じた介護」の下に「（喀痰吸引その他のその者が日常生活を営むのに必要な行為であって、医師の指示の下に行われるもの（厚生労働省令で定めるものに限る。以下「喀痰吸引等」という。）を含む。）」を追加
「介護」の内容は三大介護といわれる身体介護を中心としてとらえていた。	認知症高齢者の増加などを受け、「介護」の内容は、身体介護にとどまらない精神面も含むものとされた。	増大する医療ニーズをもつ利用者に対応するため、一定の条件を満たすことを要件としたうえで、喀痰吸引等を介護福祉士の業として規定し、「介護」の領域は拡大された。

ア）
④　サービスの質の確保と向上

　これからの高齢者介護においては、身体ケアのみでなく、認知症高齢者に対応したケアを標準として位置づけていくことが必要であるとされ、この内容が、介護福祉士の定義規定の改正に影響を与えました。
　また、社会福祉士及び介護福祉士法の制定から20年が経過し、高齢者

福祉や障害者福祉を取り巻く状況の変化に対応するために、介護福祉士養成課程のカリキュラムも大きく変化しました。

　介護が実践の技術であるという性格をふまえ、
・その基盤となる教養や倫理的態度の涵養に資する「人間と社会」
・「尊厳の保持」「自立支援」の考え方をふまえ、生活を支えるための「介護」
・多職種協働や適切な介護の提供に必要な根拠としての「こころとからだのしくみ」

の３領域に再編成され、養成カリキュラムは1650時間から1800時間に拡充されました。

（２）2011（平成23）年の改正

　2011（平成23）年には、介護福祉士の行う介護に、医療的ケアが追加されました。喀痰吸引を必要とする利用者にとって、喀痰吸引は、毎日の生活に必要な行為ですが、１日に１回行えばよいというものではなく、数時間おきに実施する必要がある行為です。そのため、家族の負担が多大なものとなっていることが指摘されていました。この状況をふまえ、在宅・特別養護老人ホーム・特別支援学校において、当面のやむをえない措置として、一定の要件を満たしたうえで、介護職員等が痰の吸引等の行為を実施することが認められてきました。しかし、これらの医行為を介護職員が明確に行えるよう、法律に位置づけるべきであるという観点から、2010（平成22）年に介護職員等によるたんの吸引等の実施のための制度の在り方に関する検討会（厚生労働省）が設置されました。その検討の結果、医師の指示のもとに行われるなど、一定の要件を満たすことを条件としたうえで、介護福祉士の行う介護に医療的ケアが位置づけられました。

　これは、先にみた医行為と介護業務の線引きをした原則として医行為ではないと考えられる行為とは異なり、介護職員が医行為を一定の条件のもとで実施することを可能としたものであり、介護業務の拡大を意味します。

　具体的には、口腔内、鼻腔内、気管カニューレ内部の喀痰吸引と、胃ろう・腸ろうによる経管栄養、経鼻経管栄養を行うことが可能とされました。

介護福祉士が誕生して30年以上が経過し、介護の概念や制度が変化してきたことが理解できたと思います。社会福祉士及び介護福祉士法第47条の２に「資質向上の責務」が規定されているように、介護福祉士を取得することがゴールではありません。社会情勢等の影響を受け、介護の内容は今後も変化していくことが予想されます。その変化に対応するため、介護福祉士取得後も自分の知識、技術を更新することを常に心がけましょう。

◆ 引用文献

1) 京極髙宣「介護福祉の誕生とその現在・未来」『介護福祉』第100号、p.9、2015年
2) 一番ヶ瀬康子『福祉文化へのアプローチ』ドメス出版、p.92、1997年

◆ 参考文献

- 厚生省編『厚生白書』各年版
- 厚生省老人福祉課・老人保健課共編『詳説 老人福祉法』中央法規出版、1974年
- 森幹郎「ホームヘルプサービス——歴史・現状・展望」『季刊社会保障研究』第8巻第2号、1972年
- 京極髙宣「介護福祉の誕生とその現在・未来」『介護福祉』第100号、2015年
- 大熊由紀子『物語介護保険——いのちの尊厳のための70のドラマ 上』岩波書店、2010年
- 大熊由紀子『物語介護保険——いのちの尊厳のための70のドラマ 下』岩波書店、2010年

演習1-2　今後、対応が必要な介護問題を考える

　介護問題は時代によって異なり、その介護問題に対応するために介護サービスは変化、拡大している。

　今後、対応が必要と予想される介護問題にはどのようなものがあるだろうか。また、その介護問題を解決するために、どのような対応が考えられるだろうか。グループで話し合ってみよう。

今後、対応が必要と予想される介護問題	介護問題への対応案

【過去の介護問題とその対応例】

今後、対応が必要と予想される介護問題	介護問題への対応案
・介護分野における資格制度が未確立であるため、介護職員の質の担保が必要。	・介護現場の質の向上をはかるため、国家資格として介護福祉士を創設し、介護に関する専門的な教育を行う。
・日常生活を営むのに医療的ケアを必要とする利用者への対応が必要。	・一定の要件を満たした場合、介護職員等も喀痰吸引等の医療的ケアの実施を可能とする。

第 **3** 節

介護福祉の基本理念

学習のポイント
- 介護福祉の基本となる理念を理解する
- 尊厳を支える介護にかかわるノーマライゼーション、QOLなどの考え方を理解する
- 自立を支える介護にかかわる自己決定や利用者主体について理解する

関連項目 ①『人間の理解』▶第1章「人間の尊厳と自立」

1 介護福祉の理念とは

　介護福祉活動の場で介護福祉職のめざすものが**介護福祉の理念**といわれるものです。それは、介護福祉職の支援行為のあるべき方向性を示すものであり、介護福祉職にとって羅針盤の役割を果たすものになります。

　よってここでは、介護福祉の理念とは何かについて考えてみましょう。

　あらためて**理念**とは何かについて確認すると、「事業・計画などの根底にある根本的な考え方」[1]と説明されています。これにならい、「事業・計画」の部分を「介護福祉」に置き換えてみると、「介護福祉の根底にある根本的な考え方」が、理念をさしていることになります。

　具体的には、これまでの学習「社会福祉領域での人権・福祉理念の変遷」(『人間の理解』(第1巻)第1章参照)を通して、今日の介護福祉の根底にある根本的な考え方を確認することができます。

1 ノーマライゼーションの思想

　ノーマライゼーションの思想は、**バンク・ミケルセン**(Bank-Mikkelsen, N. E.)によって、知的障害者の施設行政の改革を通して生

まれた考え方です。それは、社会的支援を必要としている人々を「いわゆるノーマルな人にすることを目的としているのではなく、その障害を共に受容することであり、彼らにノーマルな生活条件を提供すること」2)という考え方です。この考え方をもとに、改革を推進する協力者であったニィリエ（Nirje, B.）は、次の8つの基本的枠組みを提示しました。これは、ノーマライゼーションの原理3)として位置づけられています。

（1）1日のノーマルなリズム
（2）1週間のノーマルなリズム
（3）1年間のノーマルなリズム
（4）人生のノーマルな経験
（5）個人の尊厳と自己決定
（6）男女両性の世界での生活
（7）その社会でのノーマルな経済的水準
（8）その地域でのノーマルな生活環境

このようなノーマライゼーションの原理は、国連の「障害者の権利に関する宣言」（1975年）の基盤となり、国際障害者年（1981年）を機に、障害者に関する世界行動計画として世界的に広がっています。

これらの考え方を換言すると、だれもが人間として自分らしくあたりまえの生活がしたいという、1人の人間としてもっとも基本的な願いを表明しているノーマライゼーション思想といえるでしょう。

2 QOLの考え方

QOLの考え方が、社会福祉分野の新しい価値観として導入され、用いられるようになったのは、1980年代に入ってからになります。それ以前は、医療・リハビリテーション分野で用いられていました。リハビリテーション分野のADL（Activities of Daily Living：日常生活動作）からQOL（Quality of Life：生命・生活・人生の質）へという新たな価値観での援助の展開が、社会福祉分野での自立の考え方に変化をもたらしました。ADLからQOLへという考え方により、ADLの自立が困難でも他人の手助けや福祉用具を活用し、また経済的自立が困難でも年金で生活し、自分らしい人生を取り戻していくという人間本来の尊厳を重視した自立への道を示すことになりました。

かつてわが国では、措置制度のもとで自立の考え方を歪曲し、他者の手助けや福祉制度を利用せずにみずからの力だけで生活を成り立たせることが自立とする制度の運用が長く続きました。ノーマライゼーションの考え方で確認したように、1人ひとりの身体状況や生活環境、また価値観など異なっています。どんな状況にある人も、1人の人間として自分らしくあたりまえに生きることを望んでいるのです。介護福祉職として、自立の考え方、QOLの考え方を正しく理解し、それを体現していくことが求められます。

3 利用者主体

これまで、ノーマライゼーションの思想やQOLの考え方において、「1人の人間として」という文言をくり返し用いてきました。それは、人間であるということにおいて個人として尊重されること、人間らしい生活を送る権利、自分らしく幸福を追求する権利が保障されているということです。

人はだれでも人間としての権利を有し、**基本的人権の主体**として存在しています。そのことは、たとえ介護サービスを利用する状態にあったとしても変わるものではありません。介護（福祉）サービスを利用している人を利用者と称しますが、これは今の立場を表しているにすぎません。病院を受診すると患者という立場で呼ばれるように、利用者というサービスを利用している立場を示しています。ゆえに、利用者という立場になる前には、1人の人間として、個人として社会生活を営んでいた人なのです。そして、1人の人間として有する権利をみずからの力で行使し、自分らしく生きていた人です。しかし、利用者という立場にある人は、みずからの力だけで権利を行使することがむずかしくなりがちです。そこで、介護福祉職に求められるのが、利用者の権利を守るという**権利擁護**の視点です。

1人の人間として自分らしく生きることを願っているのは、利用者自身であり、利用者がどのような生活をしたいのか、どんな人生を送りたいのか、望んでいるのか、その主役は常に利用者です。介護福祉職はそれを支援する立場にいます。よって、生活支援において利用者主体であることを念頭に、その人らしい生活の実現に向けて利用者とともに取り組むことが求められています。

❶社会福祉基礎構造改革

p.40参照

　これらをわかりやすく伝えているのが、2000（平成12）年の**社会福祉基礎構造改革**❶を推進してきた人たちの記録です。そこには、次のように述べられています。

　「社会福祉で今日最も大切な基本理念の一つは、個人の尊厳である。憲法第13条に掲げられているが、一人ひとりが人間として尊重され、プライドをもって自己実現を図っていくことである。これは個人としての自立ということにも連結する。人間としてその人らしく自立することは、個人の尊厳を保持することと同じ視点である。この自立を支援することが、社会福祉の機能である。また、このことは福祉において人権を確立することでもある。福祉は人権と極めて密接な関係がある。」4)

（下線は筆者）

　上記の下線部分から読み取れるように、その人らしく自立できるように支援することは、介護福祉を含めた社会福祉の機能であることを確認することができます。そしてそのかかわりの方向性は、社会福祉領域において理念として共通していることになります。社会福祉法では、「福祉サービスは、利用者の自己決定による『自立』を『支援する』ものでなければならない」5)として、利用者をみずからの意思と選択により、自立していく主体としてとらえ、利用者主体の考え方を明示しています。

　以上のことから、今日の介護福祉の理念として、個人の尊厳、利用者主体の自立を軸に、それを支える介護の考え方を述べていきます。

2 尊厳を支える介護

　個人の**尊厳を支える介護**とはどういうことなのかについて、具体的にみていきましょう。

1 すべての人が基本的人権の主体

　人は「人間である」ということだけで、**基本的人権の主体**であり、すべての人が1人ひとり固有の存在です。かけがえのない固有の存在であるがゆえに、自分と他者との違いを意識し、他者との交わりのなかで自分らしくありたいと願うことになります。また同時に、1人の人間とし

て認められたい、1人の人間として大切にされたいという欲求も生まれることになります。これらは特定の人だけがそう願うのではなく、人間としてだれもがもつ願いであるため、基本的欲求の1つに位置づけられています。

人は、1人の人間としてあたりまえに暮らしたいと願いながら、さまざまな生活体験を重ね、かつ環境の影響を受け、環境に影響を与えるという相互作用をくり返しつつ、多様な価値観や生活様式・文化などを統合して、それぞれの個性を形成することになります。その個性が、自分らしさ、またはその人らしさと呼ばれるものです。ゆえに、自分らしさが損なわれたり、プライバシーを侵害されたときに、私たちの自尊心は大きく傷つくことになります。

このことについて、事例をもとに考えてみましょう。

身体機能の低下や片麻痺等により、食事を口まで運ぶことがスムーズにできない利用者に対して、「食べこぼしがあるので、食事の前に、汚れないよう胸にエプロンをつけましょう」と言いながら、スタッフがエプロンをつける動作をしている場面を見かけることがあります。胸につけるエプロンに対して、その人がどのようなイメージや考えをもっているのか確認をしないままにエプロンをつけられた利用者は、どんな思いになるでしょうか。エプロンに対して、子どもがつけるものというイメージをもった利用者にとっては、「この年齢になって子どもが使用するものを身につけてはずかしい」や「こんな格好をした自分を人に見られたくない」など、自尊心が揺らぐことになります。その状態では、はずかしいや見られたくないという思いが強く、食事に集中できる心理状態ではないと考えられます。もちろん、エプロンをつけるほうが汚れないために安心して食事ができるという考えをもった利用者の場合は、それを支持することが必要です。

このように、尊厳を支える介護とは、多様な個性をもつ1人ひとりを人間として、一個人として、基本的人権の主体として、その人の人格を尊重し、利用者の基本的人権を守るという考え方です。

2 人間としてあたりまえの生活

人は、どんな状態にあっても、人間としてあたりまえの生活がしたいと願うものです。こういう思いや願いに関連する「ノーマライゼーショ

ン」という考え方があります。これは、障害のある、なしにかかわらず、すべての市民が対等・平等にあたりまえで健全な生活をする権利が保障される社会が、ノーマルであるとする考え方です。この考え方は、世界の福祉の主たる理念となり、障害者の人権擁護の重要思想として広く周知され、浸透しています。

ノーマライゼーション理念は、「その能力の程度や障害の種別にかかわらず、すべての障害者が平等に1人ひとり独自の人格をもつ生活主体者として尊重され、人間としての可能性を追求し、自己実現を図り得る場を提供され、人間としての尊厳を維持しうるだけの生活を保障されること」[6]を目標としています。

3 その人らしい生活の充実感を高める

人は、自分らしく幸せに生きていきたい、楽しく生きていきたいという思いや願いをもっています。また、自分らしく人生を充実させたい、満足感のある人生を送りたいと常に望んでいます。

今日では、「人の生きる目的が健康ではなく、自分らしく生きることが目的であり、そのための資源が健康である」[7]ことが明確にされています。

このような、自分らしい生活や人生の満足感あるいは充実感をあらわす用語として、QOLが広く用いられています。自分らしい生活や人生にするための資源は健康（生命の質）であり、日々の生活（生活の質）の積み重ねが人生（人生の質）となり、実を結ぶことになります。つまり、自分らしい生活の充実感や満足感が高まることをQOLの向上といい、幸福度の尺度としても活用されています。

介護福祉職は、人々の生活支援を役割とするため、直接的に支援する内容はADLに関連する事柄が多くなります。そのためADLの項目を直接的に支援すること自体が目的となってしまいがちです。大事なことは、ADLを支援することで、利用者がどんな生活状態になることをめざしているのかを意識することです。ADLは、QOLを高めるための手段であることをしっかりと認識しましょう。

QOLの向上をめざすには、多様な個性をもつ1人ひとりを理解して尊重し、人間としてあたりまえのその人らしい生活が送れるよう、個別ケアの提供が重要になります。とくに他者からの支援を必要とする利用

者にとっては、自分だけの力で自分らしい生活を営むことには限界や制約が生じる場合があります。そのため、利用者の願いや思いに介護福祉職が寄り添い、QOLの向上をめざした柔軟なかかわりや支援が求められます。

3 自立を支える介護

自立を支えるとは、どういうことなのかを考えてみましょう。

社会福祉領域の基盤となる考え方を定めている**社会福祉法**において、第3条（福祉サービスの基本的理念）には「その有する能力に応じ自立した日常生活を営むことができるように支援する」と規定されています。これは、これまでの福祉サービスのあり方が個人の需要を十分理解しないために、自立を阻害するといった事態がしばしば発生してきているという反省にたって示されたものです。

ここで確認できることは、「利用者の自己決定による自立」を支援することが、介護福祉の理念を体現することにつながるということです。

それでは、利用者の自己決定による自立を支援するためには、何が求められるのでしょうか。

1 利用者の意思にもとづく生活の営みと自己決定権

生活を営むためには、自分の価値観や思い、環境要因などをもとに自分で生活のあり方を決めることから始まります。このことは、介護サービスを利用する状況にある利用者にとってもなんら変わることはありません。

生活のあり方を自分で決める、つまり自己決定に関しては、人が私的事柄について公的権力に介入、干渉されることなく、みずから決定することができる権利として重要視されなければなりません。その権利を、**自己決定権**といいます。介護福祉職の役割である自立生活の支援においては、とくに①ライフスタイルに関する自己決定権と、②生命・身体に関する自己決定権を保障することが重要になります。

①**ライフスタイルに関する自己決定権**とは、1日をどのように過ごす

のか、どんな生活や人生にしたいのかなど、生活のさまざまな営みについて自分で決める権利です。

②生命・身体に関する自己決定権とは、自己の健康に関する自己責任と同時に健康に関する自己の権利があります。自分の健康が大きく損なわれたときにどのような対応を望むのか、緊急を要する状態になったときに延命処置を希望するのかなどを自分の意思で決める権利です（詳細は、第4章第1節で学習してください）。

2 利用者主体の生活の営みと説明責任

　利用者の意思にもとづく生活支援のためには、利用者の自己決定権の尊重が重要であることを述べてきました。しかし、自分で決めたいと思っても、利用者の知りたいことや知っていたほうが適切な選択ができる事柄について、情報として利用者が十分な内容を把握できているとは限りません。そのような状況では、選択したくても何をもとに考えたらよいのか決めようがない状態におちいってしまいます。あるいは、わからないから他者にまかせてしまうということにもなりかねません。それでは、せっかくの自己決定権をいかすことができないばかりか、人まかせの選択や生活になり、利用者主体の生活自体が成立しないことになります。自分の生活において自己の意見が尊重されず、自分らしい生活が維持できない状況では、利用者の意思の表出も減退し、生活自体が不活発になる傾向があります。

　そこで、介護福祉職に求められるのが、「十分な説明を受けたうえでサービスを自己決定する権利」の保障です。介護福祉職は、関連する情報について利用者の理解できる方法を用いて伝える努力をする必要があります。そのうえで、利用者の生活に影響を及ぼす事柄について、利用者自身が主体的に意思決定できることが重要です。

　このように利用者自身が生活の主体者として意欲的な心理状態になるには、その前提として1人の人間として大切にされているという実感を、どれだけ自覚できているかが重要になります。周囲から大切にされている、愛されているという実感が安心感や充足感につながり、ひいては自尊心がよりよく保持されることになり、自分らしく生きていく活力を生み出してくれます。

以上、介護福祉の理念として、尊厳を支える介護、利用者主体の自立を支える介護の考え方について述べてきました。冒頭に紹介した「利用者の意思にもとづき、その人らしく自立することは、個人の尊厳を保持することと同じ視点である」ということの意味が理解できたでしょうか。

　介護福祉の理念の根底にあるのは、1人の人間として基本的人権を守るということです。その観点から、長期入居型高齢者施設における「利用者の権利に基づくサービス指針」[8]として、表1－6に示された権利の保障が求められることになります。それは、①地域社会で生活する権利（地域社会とのつながりを維持する権利）、②個別ケアを受ける権利、③質の高いサービスを受ける権利、④自己決定・自己選択する権利、⑤わかりやすい情報提供を受ける権利、⑥意見・質問・苦情を表明する権利、⑦プライバシーの保護に関する権利、⑧自己尊重の念と尊厳を維持する権利であり、それらについて具体的な内容が提示されています。

　それらをふまえて、人々のその人らしい生活を支援する介護福祉職が念頭におかねばならないことは何でしょうか。それは、「人間とはどういう存在なのか、人間の生活とはどういうものなのか」についての考え方、つまり、**人間観**をもつことです。介護福祉の理念の根底に共通しているのが人間観です。

　人間とはどういう存在なのかを理解しているから、1人の人間として尊厳を保持することの意義や必要性を考えることが可能になります。それらのことがわかるから、その人らしい生活を支援することの意義、介護福祉職としての役割や仕事のやりがいを見いだすことができます。対人援助職である以上、人間について理解することは大前提といえます。自分自身も利用者と同じ人間であることを自覚し、豊かな人間観をもっていること、そのことが介護福祉の理念と相まって、利用者に対する質の高いかかわりを可能にすると考えます。

表1−6　利用者の権利に基づくサービス指針

権利	内容
①地域社会で生活する権利（地域社会とのつながりを維持する権利）	本人の意思・希望に耳を傾けながら、以下の機会を提供する。 ・買い物・ドライブ・旅行などの外出の機会をもつ。 ・自治会活動や地区の行事に参加する。 ・施設近郊の老人クラブに参加する。
②個別ケアを受ける権利	・毎日、担当の利用者と個別にかかわる時間を確保する。 ・個別ニードを把握しニードに見合ったケアプランを作成する。 ・多様な好みに対応し、生活全般に選択肢の拡大に努める。 ・集団活動への参加を強制しない。 ・言葉かけは個人名を用いて行う。
③質の高いサービスを受ける権利	・不安を抱えている利用者に対して即座に対応する。 ・職員全員が共感的対応など、カウンセリング、相談援助の技術の習得に努める。 ・医療・保健サービスとの連携のもとに、利用者の疾病、障害に対し、迅速かつ適切な措置を講じる。 ・日常のバイタルチェックを欠かさない。 ・残存能力の維持と豊かな生活を保障するために、回想法、園芸療法、音楽療法などの技術の習得に努める（見よう見まねでなく研修を受ける）。
④自己決定・自己選択する権利	以下の事柄について、本人の意思を確認し、選択できる状況にする。 ・起床（どのように起こされたいか、声かけは必要か、いつ起きたいか） ・トイレ（好みの型、どのような援助を望むか） ・着替えと身だしなみ（何時ごろ着替えたいか、何を着たいか、アクセサリーを着けるか、化粧をするか） ・食事（選択メニューの実施、食事時間を柔軟に設定、食事介助の方法に関する意向） ・入浴（どのような援助を望むか、いつ入るか、だれに援助してほしいか） ・余暇、レクリエーション、生涯学習（いつ、どのような活動に参加したいか） ・部屋（個室、家具、じゅうたんなど希望するものは何か）
⑤わかりやすい情報提供を受ける権利	・わかりやすい表現、わかりやすい方法で記された施設パンフレットを作成し、入居希望者およびその家族に配布する（例：カタカナ文字をわかりやすく解説、イラストや図を用いて一目で内容がわかるように工夫）。 ・職員会議で決まったことを利用者にわかるように掲示する（プライバシーに関する件は本人だけに伝える）。 ・旅行を企画する際は職員だけで決めるのではなく、わかりやすく記された旅行パンフレットを利用者に配布したり、掲示して意見や希望を聞く。 ・施設内行事、諸活動の内容について、十分な情報提供を行い、本人が選択できるようにする。 ・わかりやすく記された週間（月間、年間）スケジュールを利用者に掲示（配布）する。 ・希望者には新聞、週刊誌などの個人購読の手配をする。 ・利用者にとって必要と思われる情報は、伝える努力を惜しまない。

⑥意見・質問・苦情を表明する権利	・どのような些細な質問、意見、苦情に対しても、耳を傾ける。 ・言葉で表現できない利用者の場合は、表情や行動から本人の訴えを読み取る努力をする。 ・行動障害は施設の住環境、援助環境が不備なために引き起こされることがあるので、そのような行動を見かけた場合は、本人が何らかのメッセージを職員に送っているのではないかという視点で見守り、それを読み取るよう努力する。 ・利用者は第三者に本音を漏らすことがあるので、そのようなことがあった場合には報告してもらい真摯に受け止める。 ・オンブズマン制度を導入し、意見や苦情を拾い上げるシステムをつくる。 ・利用者（家族）からの質問、苦情、意見は、必ずノートに記録する（どのように対応したか、どのように対応する予定かなどを記す）。
⑦プライバシーの保護に関する権利	・利用者の個人情報を保護するため、守秘義務および情報管理を徹底する。 ・利用者の共同生活スペースで、他の利用者のケア、医療、看護、家庭環境等、プライバシーにかかわる話をしてはならない。 ・利用者が一人で過ごせる空間を確保する。 ・入浴介助、トイレ介助、おむつ交換などの場面では、本人のプライバシーを最大限に尊重したケアを心がける。 ・個別入浴を望む場合、その希望をかなえるよう努力する。 ・プライバシー確保のために、個室化を推進する（洗面、トイレ、入浴設備も付設する）。
⑧自己尊重の念と尊厳を維持する権利	・年齢に応じたサービスを提供するよう心がける（子ども扱いするようなサービスを提供しない）。 ・「○○しなさい」「だめよ！」「どうして○○するの？」などといった命令語、禁止語、叱責語は用いない。 ・「○○しないと、△△してあげないよ」といった交換条件による対応（脅し的な対応）をしない。 ・利用者をプラスの存在、かけがえのない存在としてとらえ、常に敬意を払った言葉かけ、かかわりを心がける。 ・利用者の過去の経験談、思い出話に対しては、共感的な姿勢で耳を傾ける。

出典：久田則夫「社会福祉における権利擁護の視点に立つ新たな援助論──『利用者主体のサービス』の実現をめざして」『社会福祉研究』第70号、pp.52-53、1997年を一部改変

◆引用文献

1）新村出編『広辞苑 第6版』岩波書店、p.2950、2008年
2）花村春樹訳著『「ノーマリゼーションの父」N.E.バンク-ミケルセン——その生涯と思想』ミネルヴァ書房、pp.78-79、1995年
3）B.ニィリエ、河東田博・橋本由紀子・杉田穏子訳編『ノーマライゼーションの原理——普遍化と社会改革を求めて』現代書館、p.34、1998年
4）炭谷茂編著『社会福祉基礎構造改革の視座——改革推進者たちの記録』ぎょうせい、p.10、2003年
5）社会福祉法令研究会編『社会福祉法の解説』中央法規出版、p.110、2001年
6）定藤丈弘・岡本栄一・北野誠一編『自立生活の思想と展望——福祉のまちづくりと新しい地域福祉の創造をめざして』ミネルヴァ書房、p.4、1993年
7）島内憲夫編訳・解説、鈴木美奈子訳書評『新装版 21世紀の健康戦略シリーズ1・2 ヘルスプロモーション——WHO：オタワ憲章』垣内出版、pp.75-76、2013年
8）久田則夫「社会福祉における権利擁護の視点に立つ新たな援助論——"利用者主体のサービス"の実現をめざして」『社会福祉研究』第70号、pp.52-53、1997年

第 3 節　介護福祉の基本理念

演習1－3　　尊厳を支える介護

　尊厳を支える介護とは、どういう介護のあり方が求められるのか、グループで話し合ってみよう。

演習1－4　　利用者主体の自立を支えるために必要な自己決定権

　利用者主体の自立を支えるために必要な自己決定権について整理をしてみよう。

自己決定権	内容
ライフスタイルに関する 自己決定権	
生命・身体に関する 自己決定権	

第1章　介護福祉の基本となる理念

65

第2章

介護福祉士の役割と機能

第 1 節　社会福祉士及び介護福祉士法
第 2 節　介護福祉士の活動の場と役割
第 3 節　介護福祉士に求められる役割とその養成
第 4 節　介護福祉士を支える団体

第 1 節 社会福祉士及び介護福祉士法

学習のポイント
- 社会福祉士及び介護福祉士法の概要を理解する
- 介護福祉士が守るべき義務規定の意味を学ぶ

関連項目
④『介護の基本Ⅱ』▶第2章「介護福祉を必要とする人の生活を支えるしくみ」
④『介護の基本Ⅱ』▶第4章「協働する多職種の機能と役割」

1 社会福祉士及び介護福祉士法

1 法の制定および改正法の成立

　第1章第2節で述べたとおり、時代の要請を受け、**社会福祉士及び介護福祉士法**は、1987（昭和62）年5月26日（法律第30号）に制定されました。

　その後、2007（平成19）年には、社会福祉士および介護福祉士の資質の確保と向上をはかる目的で社会福祉士及び介護福祉士法の大幅な改正が行われ、介護福祉士の定義規定、義務規定、資格取得方法などが見直されました。この改正は、介護保険法や障害者自立支援法（現・障害者の日常生活及び社会生活を総合的に支援するための法律（障害者総合支援法））の制定等により、認知症介護など従来の身体介護にとどまらない新たな介護サービスへの対応が求められていること、また利用者がサービスを選択できるようになったことにともない、サービスの利用支援、成年後見、権利擁護等の新しい相談援助の業務が拡大していることを受けて行われたものです。

　さらに、2011（平成23）年には、これまで介護現場で大きな課題とされてきた介護職員等（介護福祉士を含む）による**喀痰吸引等**の実施に

> ❶ 喀痰吸引等
> 喀痰吸引等とは、厚生労働省令で定める医師の指示のもとに行われる、①喀痰吸引（口腔内、鼻腔内、気管カニューレ内部）、②経管栄養（胃ろうまたは腸ろう、経鼻経管栄養）である。

ついての改正が行われました。従来、喀痰吸引や経管栄養は「医行為」と整理され、一定の条件のもとに「当面のやむを得ず必要な措置」として容認されてきました。しかし、「当面のやむを得ず必要な措置」では法的に不安定であり、行為の実施にあたって不安であることや、グループホーム、有料老人ホーム、障害者（児）施設等において医療的なケアに対するニーズが高まっている状況に対応できていない等の指摘があり、2011（平成23）年6月に社会福祉士及び介護福祉士法の一部が改正されました。この改正により、一定の研修を受けた介護職員等は、2012（平成24）年4月より一定の条件のもとに喀痰吸引等を実施することができることになりました。そして、2016（平成28）年4月より介護福祉士は医師の指示のもと「診療の補助」として喀痰吸引と経管栄養を行うことを業とすることが認められました。

2 法の概要

（1）法の構成

社会福祉士及び介護福祉士法の構成は以下のとおりです。

第1章　総則（目的、定義、欠格事由）
第2章　社会福祉士（資格要件、国家試験など）
第3章　介護福祉士（資格要件、国家試験など）
第4章　社会福祉士及び介護福祉士の義務等
第5章　罰則
附則

（2）法の目的および定義

社会福祉士及び介護福祉士法の目的は以下のとおりです。

（目的）
第1条　この法律は、社会福祉士及び介護福祉士の資格を定めて、その業務の適正を図り、もって社会福祉の増進に寄与することを目的とする。

また、**介護福祉士**は以下のように定義づけられています。

> （定義）
> **第2条** 略
> 2　この法律において「介護福祉士」とは、第42条第1項の登録を受け、介護福祉士の名称を用いて、専門的知識及び技術をもって、身体上又は精神上の障害があることにより日常生活を営むのに支障がある者につき心身の状況に応じた介護（喀痰吸引その他のその者が日常生活を営むのに必要な行為であって、医師の指示の下に行われるもの（厚生労働省令で定めるものに限る。以下「喀痰吸引等」という。）を含む。）を行い、並びにその者及びその介護者に対して介護に関する指導を行うこと（以下「介護等」という。）を業とする者をいう。

　1987（昭和62）年の法制定時の定義規定は、「入浴、排せつ、食事その他の介護」等を行うことを業とする者となっていましたが、2007（平成19）年の改正で**「心身の状況に応じた介護」**等を行うことを業とする者に改められました。改正された背景には、認知症高齢者の増加に対応した介護では、従来の身体介護だけにとどまらない、心理的・社会的支援の側面が重要となってきたことがあります。

　なお、**社会福祉士**については、以下のように定義づけられています。

> （定義）
> **第2条**　この法律において「社会福祉士」とは、第28条の登録を受け、社会福祉士の名称を用いて、専門的知識及び技術をもって、身体上若しくは精神上の障害があること又は環境上の理由により日常生活を営むのに支障がある者の福祉に関する相談に応じ、助言、指導、福祉サービスを提供する者又は医師その他の保健医療サービスを提供する者その他の関係者（第47条において「福祉サービス関係者等」という。）との連絡及び調整その他の援助を行うこと（第7条及び第47条の2において「相談援助」という。）を業とする者をいう。

　社会福祉士の場合の見直しは、サービスの利用支援、成年後見、権利擁護等の新しい相談援助の拡大にともなって、「福祉サービスを提供する者又は医師その他の保健医療サービスを提供する者その他の関係者との**連絡及び調整**」その他の援助を行うこと（「相談援助」）を業とする者として、連絡・調整、橋渡しをすることが明確化されました。

（3）介護福祉士の義務規定

　2007（平成19）年の社会福祉士及び介護福祉士法の改正により介護福

祉士が守らなければならない義務規定が見直され、「誠実義務」と「資質向上の責務」が加えられました。

法には、以下のような規定が設けられ、介護福祉士はこれに従うこととなっています。

> （誠実義務）
> **第44条の2** 社会福祉士及び介護福祉士は、その担当する者が個人の尊厳を保持し、自立した日常生活を営むことができるよう、常にその者の立場に立って、誠実にその業務を行わなければならない。

新たに法に追加された「誠実義務」については、介護福祉士としては、個人の尊厳を保持し自立支援という立場から介護を行っていくということが明確に打ち出されました。

> （信用失墜行為の禁止）
> **第45条** 社会福祉士又は介護福祉士は、社会福祉士又は介護福祉士の信用を傷つけるような行為をしてはならない。

> （秘密保持義務）
> **第46条** 社会福祉士又は介護福祉士は、正当な理由がなく、その業務に関して知り得た人の秘密を漏らしてはならない。社会福祉士又は介護福祉士でなくなった後においても、同様とする。

> （連携）
> **第47条** 略
> 2　介護福祉士は、その業務を行うに当たっては、その担当する者に、認知症（介護保険法（平成9年法律第123号）第5条の2第1項に規定する認知症をいう。）であること等の心身の状況その他の状況に応じて、**福祉サービス等**❷が総合的かつ適切に提供されるよう、**福祉サービス関係者等**❸との連携を保たなければならない。

「連携」については、医師その他の医療関係者だけでなく、もっと広く多職種協働が必要であることから、福祉サービスにかかわっているすべての人たちとの連携が大切であるということが法律に明記されています。

❷**福祉サービス等**
福祉サービス等とは、社会福祉士及び介護福祉士法第47条第1項より、「福祉サービス及びこれに関連する保健医療サービスその他のサービス」をいう。

❸**福祉サービス関係者等**
福祉サービス関係者等とは、社会福祉士及び介護福祉士法第2条第1項より、「福祉サービスを提供する者又は医師その他の保健医療サービスを提供する者その他の関係者」をいう。

> （資質向上の責務）
> 第47条の2　社会福祉士又は介護福祉士は、社会福祉及び介護を取り巻く環境の変化による業務の内容の変化に適応するため、相談援助又は介護等に関する知識及び技能の向上に努めなければならない。

「資質向上の責務」では、介護福祉士の資格を取ったとしても、それで勉強は終わりではなく、そこは単にスタートであって、資格を取ったあとも自己研鑽をしていくことが、専門職として大切であることが法律のなかで明記されています。

> （名称の使用制限）
> 第48条　略
> 2　介護福祉士でない者は、介護福祉士という名称を使用してはならない。

介護福祉士は**名称独占資格**であり、業務そのものは資格がなくても行うことができますが、介護福祉士という名称を使用してはならないことになっています。介護福祉士という名称は、介護福祉士の国家資格を取得し登録した人だけが名乗ることができるものなのです。

一方、**業務独占資格**は、あくまで資格がなければその業務を行うことができない資格のことで、医師や看護師等は業務独占資格になります。

> （保健師助産師看護師法との関係）
> 第48条の2　介護福祉士は、保健師助産師看護師法（昭和23年法律第203号）第31条第1項及び第32条の規定にかかわらず、診療の補助として喀痰吸引等を行うことを業とすることができる。
> 2　前項の規定は、第42条第2項において準用する第32条第2項の規定により介護福祉士の名称の使用の停止を命ぜられている者については、適用しない。

法第2条第2項に喀痰吸引等が介護福祉士の業務として追加されたことにともない、第48条の2として**「保健師助産師看護師法との関係」**が規定されました。

2 社会福祉士及び介護福祉士法に関連する諸規定

1 介護福祉士の資格取得方法

　介護福祉士の資格を取得するには、大きく分けて**養成施設ルート**と**実務経験ルート**があります。

　「養成施設ルート」では、以前は介護福祉士養成施設（大学・短大・専門学校）で所定の科目を修得して卒業した者には国家試験なしで介護福祉士資格が与えられましたが、法改正により、2017（平成29）年度より卒業は国家試験の受験資格となり、介護福祉士になるには国家試験に合格することが必要となりました。

　経過措置として、2026（令和8）年度末までの卒業生は、卒業後5年間は国家試験に合格しなくても介護福祉士に登録でき、この間に国家試験に合格するか、卒業後5年間続けて介護等の業務に従事することで、介護福祉士登録を継続することができます。2027（令和9）年度以降の卒業生は、国家試験に合格しなければ介護福祉士資格がえられません。

　「実務経験ルート」では、実務経験（介護等の業務に3年以上従事すること）があれば国家試験の受験資格がえられましたが、法改正により**実務者研修**[4]（または、介護職員基礎研修と喀痰吸引等研修）を修了していることが条件に加えられました。

　このほかに、福祉系高校ルート、経済連携協定（EPA）ルートがあります（図2-1）。詳しい受験資格については、公益財団法人社会福祉振興・試験センターのホームページで確認できます。

> [4] **実務者研修**
> 介護福祉士の資格取得にいたるまでの養成体系のあり方の1つ。実務経験だけでは十分に修得できない知識・技術を身につけることを目的として、2007（平成19）年の社会福祉士及び介護福祉士法の改正により、介護福祉士国家試験を受験する実務経験者に対して受講が義務づけられた。

2 登録のしくみと登録者数の推移

　介護福祉士の名称を用いて仕事をしていくためには、指定登録団体（社会福祉振興・試験センター）に**登録**する必要があります。国家試験に合格して登録資格をえた場合、郵送の合格通知に手続き書類が同封されています。登録が完了してはじめて**介護福祉士**と名乗ることができます。

　2020（令和2）年度現在の登録者数は、約175万人となっています

（図2－2）。

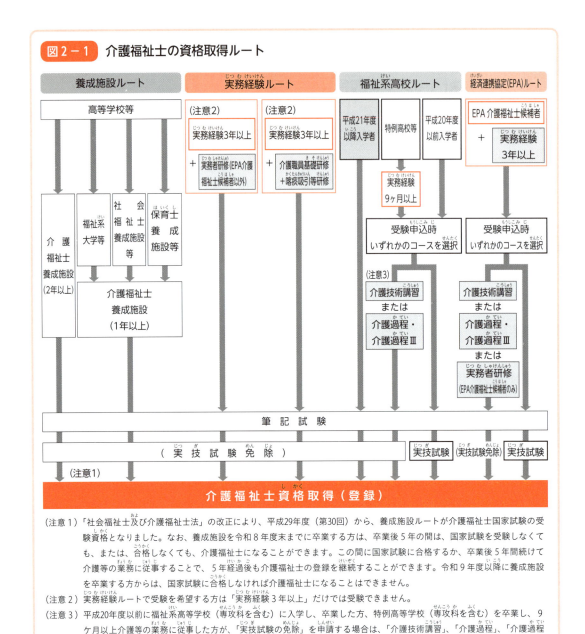

第 1 節　社会福祉士及び介護福祉士法

図2-2　介護福祉士の登録者数の推移

出典：社会福祉振興・試験センターホームページを一部改変

演習2−1　心身の状況に応じた介護を考える

　「心身の状況に応じた介護」を実践するためには、「どのような知識や技術が必要か」を考えてみよう。また、そのように考えた理由も書き出してみよう。

演習2−2　介護福祉士の義務規定

　訪問介護員（ホームヘルパー）としてAさんの担当になり、はじめて自宅を訪問することになった。介護福祉士の義務規定として「誠実義務」「信用失墜行為の禁止」「秘密保持義務」「資質向上の責務」等があるが、具体的にどのようなことが義務規定に違反することだと考えられるか、グループで話し合ってみよう。

第2節 介護福祉士の活動の場と役割

学習のポイント
- 地域や施設・在宅の場における介護福祉士の役割と機能を理解する
- 介護予防や医療的ケアなど新たな介護福祉士の役割と機能を理解する
- 看取り、災害時などの場における介護福祉士の役割と機能を理解する

関連項目		
②『社会の理解』	▶	第4章第3節「介護保険制度」
⑥『生活支援技術Ⅰ』	▶	第7章「災害時における生活支援」
⑦『生活支援技術Ⅱ』	▶	第6章「人生の最終段階における介護」
⑪『こころとからだのしくみ』	▶	第9章「人生の最終段階のケアに関連したこころとからだのしくみ」

　介護ニーズの高度化・複雑化・多様化にともなって、介護福祉士に求められる役割は変化・拡大しています。本節では、地域包括ケアシステム、介護予防、医療的ケア、人生の最終段階の支援、災害時の支援について、介護福祉士が活動する場と役割について学びます。

1 地域包括ケアシステム

1 地域包括ケアシステムが推進される背景

　地域包括ケアシステムとは、高齢者の尊厳の保持と自立生活の支援の目的のもとで、可能な限り住み慣れた地域で、自分らしい暮らしを人生の最期まで続けることができる地域の包括的な支援・サービス提供体制のことであり、団塊の世代が75歳以上となる2025（令和7）年を目途にその構築が推進されています（**図2-3**）。
　地域包括ケアシステムのとらえ方を図示したものが、**図2-4**の植木鉢図になります。地域包括ケアシステムの5つの構成要素である、住ま

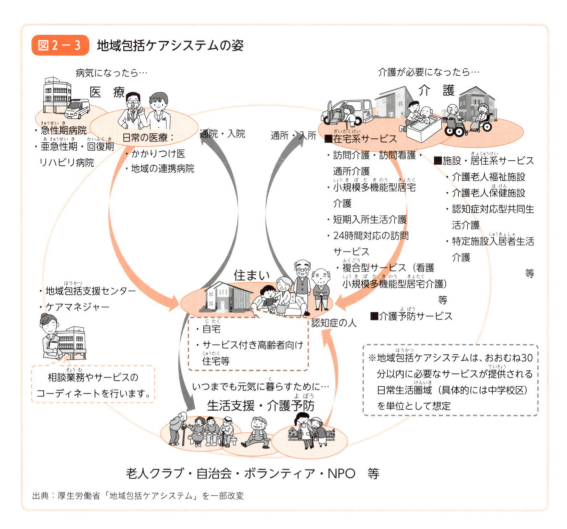

図2-3 地域包括ケアシステムの姿

出典:厚生労働省「地域包括ケアシステム」を一部改変

図2-4 地域包括ケアシステムの「植木鉢」

出典:三菱UFJリサーチ&コンサルティング「〈地域包括ケア研究会〉地域包括ケアシステムと地域マネジメント」(地域包括ケアシステム構築に向けた制度及びサービスのあり方に関する研究事業)、平成27年度厚生労働省老人保健健康増進等事業、p.15、2016年

い・医療・介護・予防・生活支援が相互に関係しながら、一体的に提供される姿を表現しています。

この図は、地域における生活の基盤となる「すまいとすまい方」を植木鉢、「介護予防・生活支援」を土、「医療・看護・介護・リハビリテーション・保健・福祉」を葉としてとらえています。「介護予防・生活支援」という土がない（機能しない）ところでは、専門職の提供する「介護」や「医療」を植えても、それらは十分な力を発揮することなく枯れてしまうため、「介護予防・生活支援」の視点が非常に重要であり、これらの植木鉢と土、葉は「本人の選択と本人・家族の心構え」の受け皿の上に成り立っていることを示しています。

なお、地域包括ケアシステムの実現には、**自助・互助・共助・公助**を組み合わせることが重要です。少子高齢化や財政状況を考えると、「公助」「共助」だけでは、地域包括ケアシステムを実現することはむずかしい状況にあります。地域包括ケアシステムは、保険者である市町村や都道府県が、地域の自主性や主体性にもとづき、地域の特性に応じてつくり上げていくことが必要です。「互助」の比重は時代によって、また地域によって異なり、近年は弱体化する傾向にありますが、社会保障制度改革国民会議の報告書において、地域包括ケアシステムの構築は**「21世紀型のコミュニティの再生」**と位置づけられており、「互助」が重要視されています。

今後は地域の状況に応じ、「自助」「互助」を強化する取り組みが求められると考えられます。

2 介護福祉士が活動する場と役割

このように、地域包括ケアシステムでは地域を1つの単位としてとらえ、介護・医療の専門職が**多職種協働**により支援を展開するため、すべての介護サービスは地域包括ケアの考え方にもとづいて実践されることになります。介護福祉士が活動するサービスの一部をみてみましょう。

介護保険サービスにおける**地域密着型サービス**は、原則として、事業所の市区町村に住所のある利用者を対象としたサービスです。地域密着型サービスとして、認知症の人が利用する**認知症対応型共同生活介護（グループホーム）**等があります。以前は、自宅を離れて生活することで、これまでの生活が分断されるということもありました。しかし、地域密

着型サービスでは、今までの生活が分断されることなく、継続できるようなかかわりが実践されています。たとえば、グループホームでは利用者が調理する機会がありますが、介護福祉士は利用者の生活の継続性を意識し、調理の材料は利用者がこれまで買い物をしているお店で買い物をする、なじみの喫茶店を利用するなど、グループホームに入居しても、地域住民とのかかわりが継続できるような活動を実践しています。

2 介護予防

1 介護福祉士に介護予防が求められる背景

❶介護予防
p.198参照

❷廃用症候群
病気やけがによる安静を含む不活発さによって生じる心身の機能の低下。寝たきりによって起きる筋萎縮や関節拘縮など。「生活不活発病」も同じ意味（p.90、p.156参照）。

　以前、介護は、介護が必要な状態となってから対応する「事後的」な視点が主でしたが、現在は介護を必要とする状態にならないように対応する「事前的」な視点といえる**介護予防**❶が重視されています。介護予防とは、高齢者が要介護状態等になることの予防または要介護状態等の軽減もしくは悪化の防止を目的として行うものとされています。高齢者は**廃用症候群**❷になりやすいため、自立した日々の生活を継続的に営むためには、身体機能や認知機能の維持、向上が重要です。

　2005（平成17）年の介護保険法改正によって、1区分であった「要支援」は、「要支援1」「要支援2」の2区分に拡大され、2014（平成26）年の介護保険法改正により、全国一律の予防給付（介護予防訪問介護・介護予防通所介護）が市町村の取り組む地域支援事業へと移行され、多様化されるなど、政策的に大きく変化しています。また、「経済財政運営と改革の基本方針2019」（令和元年6月21日閣議決定）において、（疾病・介護の）予防・健康づくりは、個人のQOLの向上、社会保障のにない手の確保、生活習慣病関連の医療需要や介護需要への効果など社会保障制度の持続可能性につながりうる側面もあると指摘されています。

2 介護福祉士が活動する場と役割

　介護予防の視点と実践は、介護が展開されるあらゆる場において常に意識されるものですが、介護福祉士が活動する代表的なサービスについ

て確認します。まず、在宅サービスにおける介護予防の取り組みとして、要介護者を対象とした通所介護（デイサービス）についてみてみましょう。デイサービスでは利用者の身体機能や認知機能の維持、向上につながるプログラムが用意されており、利用者は自分の希望にそったプログラムを実施している事業所を選択することが可能です。たとえば、音楽療法や回想法など、音楽を活用したレクリエーションを行っている事業所があります。認知症の利用者にとって、新しいことは覚えることがむずかしくても、昔から慣れ親しんだ歌であれば歌えることも多く、残存機能に着目した支援が実践されています。ほかにも、身体機能に着目した取り組みとしては、マシントレーニングを用いたパワーリハビリテーションを実施している施設もあります。

施設サービスにおいては、介護保険施設等において、要介護状態の軽減もしくは悪化の防止を意識して、自立支援の観点から介護が実施されており、毎日の生活のなかで、身体機能の維持・向上をはかる生活リハビリテーションの視点が重要とされています。介護保険施設は、介護保険法において、機能訓練を実施する機能が定められていますが、介護老人保健施設は、在宅復帰、在宅療養支援のための施設であり、機能訓練の視点が重視されています。介護老人保健施設では、介護福祉士はリハビリテーションの専門職である理学療法士や作業療法士、言語聴覚士と連携し、スムーズに在宅復帰ができるよう、利用者のADL[3]（Activities of Daily Living：日常生活動作）の維持・拡大に向けた支援が行われています。

次に、地域支援事業における介護予防の取り組みについてみてみましょう。認知症の人が住み慣れた地域で自分らしく暮らし続けるための取り組みの1つとして認知症カフェがあります。認知症カフェは、認知症の人やその家族が、地域の人や介護・福祉などの専門家と相互に情報を共有し、お互いを理解し合う場です。認知症の介護は、専門的な知識のない家族にとっては大きな負担となることもあり、家族の対応によって、利用者の認知症の症状を悪化させるケースもあります。介護福祉士は、認知症の人の家族に対する認知症介護の勉強会の講師を務めるなど、間接的に介護予防に役立つ取り組みを行う機会もあります。

また、近年は新たな視点も注目されています。「地域包括ケア研究会報告書──2040年に向けた挑戦」（三菱UFJリサーチ＆コンサルティング）では、図2-5のように、社会参加する一次予防、虚弱を遅らせる

[3] ADL
p.192参照

図2-5 2040年に向けて地域包括ケアシステムで取り組むべき予防の方向

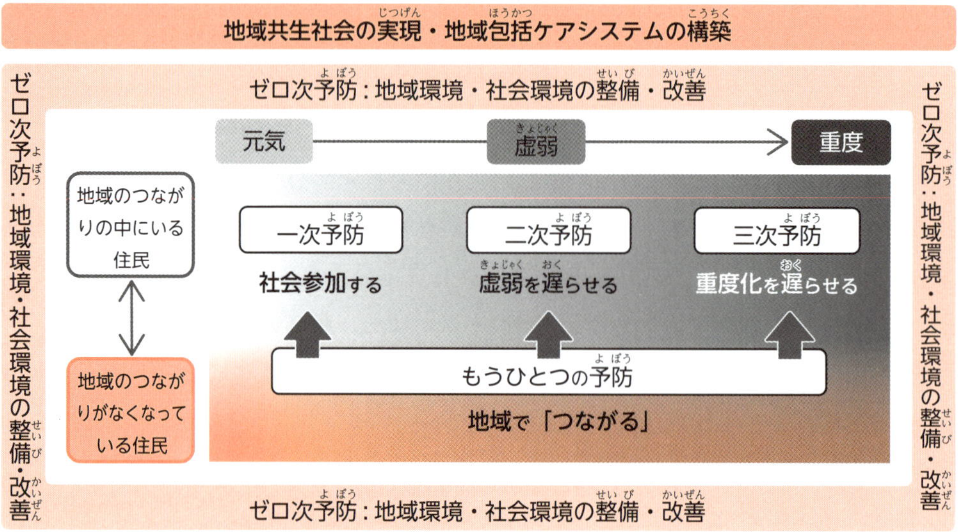

地域共生社会の実現・地域包括ケアシステムの構築

ゼロ次予防：地域環境・社会環境の整備・改善

元気 ── 虚弱 ──→ 重度

- 一次予防：社会参加する
- 二次予防：虚弱を遅らせる
- 三次予防：重度化を遅らせる

もうひとつの予防／地域で「つながる」

地域のつながりの中にいる住民 ⇔ 地域のつながりがなくなっている住民

ゼロ次予防：地域環境・社会環境の整備・改善

出典：三菱UFJリサーチ&コンサルティング「＜地域包括ケア研究会＞──2040年に向けた挑戦」（地域包括ケアシステム構築に向けた制度及びサービスのあり方に関する研究事業）、平成28年度厚生労働省老人保健健康増進等事業、p.15、2017年

二次予防、重度化を遅らせる三次予防に加えて、「もうひとつの予防」が注目されています。この点については、報告書において「こうした、従来（どちらかと言えば心身機能や生活機能を重視してきた）の介護予防の概念に加えて、『もうひとつの予防』として、地域や社会に参加し、住民が『つながる』状態に向けた支援も2040年に向けた重要なテーマである。一人ひとりが『地域でつながる』姿は、いわば心身機能や生活機能で捉えた『虚弱化』と『重度化』を遅らせる取組の前提である」と指摘されており、今後、介護福祉士には**アウトリーチ**❹の視点も求められるといえます。

❹**アウトリーチ**
手を差し伸べること。福祉においては、生活上何らかの問題をかかえながらみずから支援を求めない利用者や地域社会に対して、援助者側から出向き、問題解決への動機づけを高めること。

3 医療的ケア

1 介護福祉士に医療的ケアが求められる背景

近年、一時的な医療だけでなく、喀痰吸引や経管栄養をはじめとする

継続的な医療を必要とする利用者が増加しています。喀痰吸引や経管栄養は日々の生活を送るうえで必要不可欠な行為ですが、継続的に必要な行為であるため、その実施者の確保は大きな課題となります。以前は、**医療的ケア**を必要とする利用者が施設入所を希望しても、施設の医療体制が整っていないという理由から敬遠される事例が多々ありました。また、高齢分野だけでなく、障害分野においても同様の状況があり、在宅では家族の介護負担は大きなものとなっていました。そのような状況に対応すべく、2012（平成24）年から、一定の研修を受けた介護職員は医師の指示のもとに喀痰吸引等の実施が可能となりました。

2 介護福祉士が活動する場と役割

　介護福祉士が医療的ケアを実施するおもなサービスとしては、施設サービスでは、高齢分野の介護老人福祉施設と介護老人保健施設、障害分野の障害者支援施設等があります。在宅サービスでは、高齢分野の訪問介護、障害分野の居宅介護や重度訪問介護等があります。

　2018（平成30）年の「介護職員による喀痰吸引等の実施状況及び医療的ケアのニーズに関する調査研究事業報告書（三菱UFJリサーチ＆コンサルティング）」によると、医療的ケアを必要とする利用者の割合はそれぞれのサービスにおいて、図2-6のとおりとなっており、その行為の内容によって割合は異なりますが、医療的ケアを必要とする利用者が一定数いることが確認できます。

　医行為は医師や看護師などの医療職が行うことが基本ですが、介護老人福祉施設は医療職が24時間常に配置されているとは限らず、不在となる時間があります。また、介護老人保健施設においても、医療的ケアを必要とする利用者の増加により、施設に配置されている医療職のみでは対応することがむずかしい状況もあります。そのような高まる医療的ケアのニーズにこたえるため、介護福祉士は医療職と連携をとりながら、医療的ケアを実施しています。

　喀痰吸引等を必要とする利用者の今後の動向については、図2-7のように多くの事業所が「今後、利用ニーズは増えていくと思われる」と回答しています。

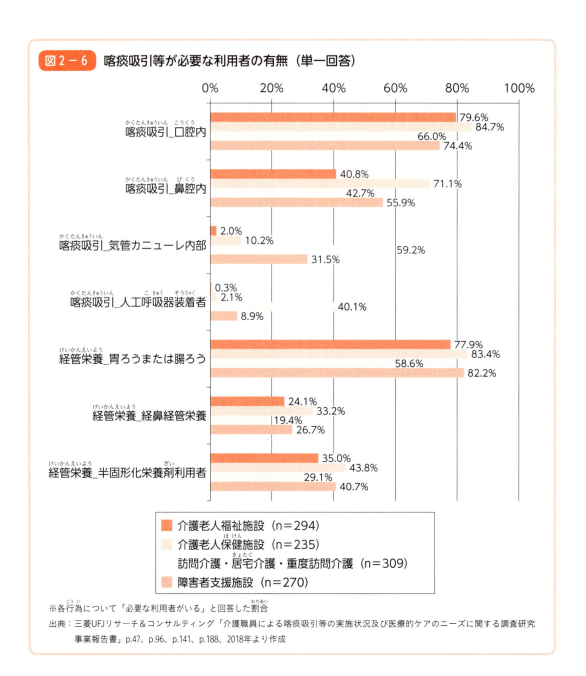

図2-6 喀痰吸引等が必要な利用者の有無（単一回答）

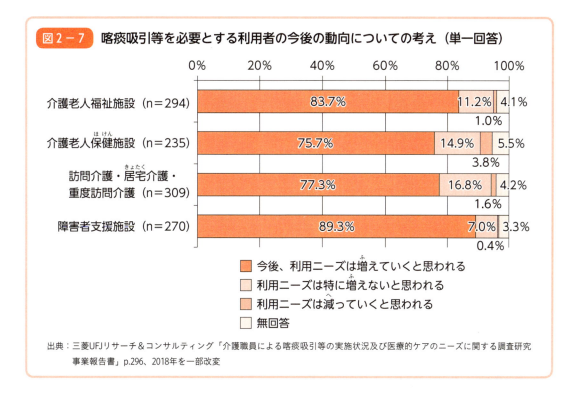

図2-7 喀痰吸引等を必要とする利用者の今後の動向についての考え（単一回答）

出典：三菱UFJリサーチ＆コンサルティング「介護職員による喀痰吸引等の実施状況及び医療的ケアのニーズに関する調査研究事業報告書」p.296、2018年を一部改変

4 人生の最終段階の支援

1 介護福祉士に人生の最終段階の支援が求められる背景

　利用者の生活を支援することが介護福祉士の役割ですが、とくに人生の最期の段階をその人らしく生きることを支援することは非常に重要です。利用者本人が人生の最終段階において望む生活を、可能な限り実現できるようにサポートする役割が介護福祉士に求められています。

　近年、看取りに対するニーズが高まっています。その経緯を理解するために、まず日本の死亡数の推移を確認しましょう。図2-8の死亡数および死亡率の年次推移をみると、死亡率は戦後下降傾向にあり、1979（昭和54）年に最低の死亡率となりますが、その後は上昇傾向にあります。死亡数は平成に入ってから上昇傾向にあり、その数は1966（昭和41）年の最少の死亡数と比較すると、2020（令和2）年は2倍以上と

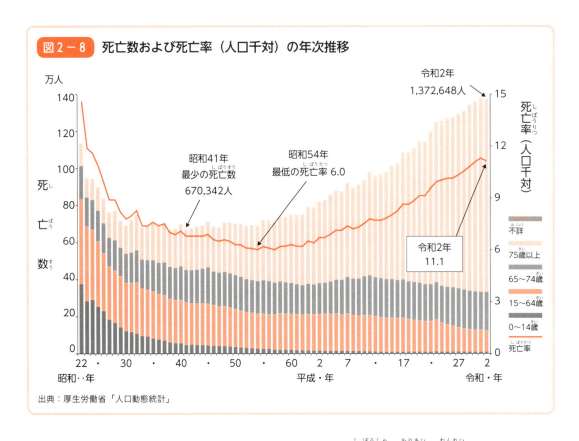

図2-8 死亡数および死亡率（人口千対）の年次推移

出典：厚生労働省「人口動態統計」

なっています。2020（令和2）年の死亡者の割合を年齢別にみると、65～74歳が14.4％、75歳以上が76.5％となっており、65歳以上が90％以上を占めています。近年、日本の人口は減少傾向にあり、少産・多死社会となっています。

次に死亡場所についてみてみましょう（図2-9）。死亡場所は、戦後大きく変化してきました。1951（昭和26）年の死亡場所は、自宅が82.5％ともっとも多く、病院は9.1％でしたが、2020（令和2）年は、自宅が15.7％、病院は68.3％と逆転し、現在は病院で死亡することが一般的となっています。老人ホームの死亡者の割合は増加傾向にあり、9.2％になっています。

では、最期を迎えたい場所をみてみましょう。図2-10をみると、自宅を希望する人は51.0％ともっとも多く、特別養護老人ホーム・有料老人ホームなどの福祉施設は7.5％、サービス付き高齢者向け住宅は3.0％となっています。病院・介護療養型医療施設で最期を迎えたいと希望する人は31.4％ですが、先にみた死亡場所では68.3％と多くなっています。一方、自宅で最期を迎えたいと希望する人は51.0％ですが、先にみた死亡場所では15.7％となっており、最期を迎えたい場所と実際の死亡

場所には差が生じていることがわかります。

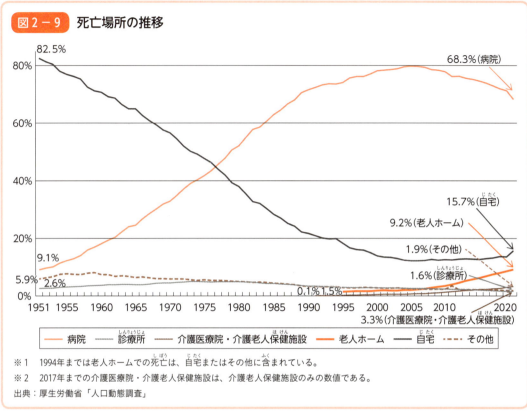

図2−9 死亡場所の推移

※1 1994年までは老人ホームでの死亡は、自宅またはその他に含まれている。
※2 2017年までの介護医療院・介護老人保健施設は、介護老人保健施設のみの数値である。
出典：厚生労働省「人口動態調査」

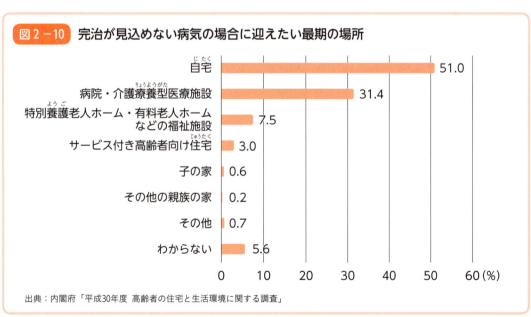

図2−10 完治が見込めない病気の場合に迎えたい最期の場所

出典：内閣府「平成30年度 高齢者の住宅と生活環境に関する調査」

2 介護福祉士が活動する場と役割

　現在、介護福祉士をはじめとする介護福祉職は、多くの場で利用者の生活を最期まで継続するための支援をする役割をになっています。代表的な在宅サービスと施設サービスについてみてみましょう。
　在宅サービスは、要介護度が重度になっても在宅生活の継続が可能となるように、訪問介護のサービスが拡充されており、**夜間対応型訪問介護**や、**定期巡回・随時対応型訪問介護看護**などのサービスが新設されています。これらのサービスは、利用者の状態の変化に応じ、必要なタイミングでサービスを利用することができます。
　施設サービスとしては、以前、介護老人福祉施設の入所者は、病状が悪化した場合、医療的な対応ができないため、病院への入院を余儀なくされ、施設で最期を迎えることができないというケースも多くありました。しかし、介護保険制度において2006（平成18）年度から**看取り介護加算**が新設されたこともあり、現在は介護老人福祉施設や、介護付有料老人ホーム、住宅型有料老人ホーム、サービス付き高齢者向け住宅で看取りが行われるようになってきています。
　まず、看取りにあたっては、利用者と家族に対して、提供できる医行為や医療職との連絡体制などのサービス内容について十分に説明をし、同意をえる必要があります。サービス利用時の利用者と家族の意向は、利用者の体調の悪化等により、変化することも考えられますので、最初だけではなく、定期的に確認することが大切です。
　最期を迎える利用者に対しては、QOLを重視した支援が必要となります。また、家族が悔いなく最期を迎えられるように、家族に可能な範囲で介護に参加してもらうなど、家族への配慮も必要となります。人生の最終段階を支援する際は、医療ニーズが多くなりますので、介護福祉職のみで支えることはできません。医療職との綿密な連携が必要となりますが、その際、利用者の生活にもっとも身近な介護福祉職は、利用者の日々の様子を観察し、必要に応じて医療職と連携をとる必要があるため、医学的な知識が必須となります。このような支援を中心となって行う介護福祉士の役割は今後ますます高まると予想されます。

5 災害時の支援

2011（平成23）年の東日本大震災、2016（平成28）年の熊本地震、そして、2018（平成30）年の西日本豪雨（平成30年7月豪雨）など、多くの自然災害が発生し、各地に甚大な被害をもたらしています。私たちは自然災害に対して、周到な用意ができているのでしょうか。

避難所は一時的にせよ、そこに避難してきた人々にとっての「暮らしの拠点」であることを理解しておかなければなりません。避難所での生活が中長期化することが予測される場合はなおさら、そこでの中長期を見すえたケアが重要となってきます。いかなる状況においても、そこに人々の暮らしがある限り、その人の生活が継続できるよう支援するのが介護福祉職です。そのために介護福祉士は、多職種と連携・協働して支援にあたる必要があります。

その際の重要な視点は、介護の基本である自立支援と尊厳あるケアと生活の継続性といえます。

1 災害時要配慮者支援が求められる背景

災害対策基本法❺によると、高齢者、障害者、乳幼児など、災害から自分を守るために、必要な情報を迅速かつ的確に把握し、安全な場所に避難するなど、災害時に一連の行動をとるのに配慮を要する人々を要配慮者❻といいます。また、要配慮者のうち、災害が発生し、または災害が発生するおそれがある場合にみずから避難することが困難な者であって、その円滑かつ迅速な避難の確保をはかるため、とくに支援を要する者を避難行動要支援者といいます。

要配慮者は個人差、個別性が高く、安全な場所への避難支援も避難所での支援も千差万別です。寝たきりや認知症の高齢者だけでなく、日頃は自立している1人暮らしの高齢者でも、避難先の環境や避難期間の長期化などによって要介護状態におちいる場合があることを忘れてはなりません。また環境の変化に対応できず、落ち着きがなくパニックを起こしやすい人、外見では支援の必要性が判断しにくい内部障害者❼、継続的な服薬が必要な精神障害者に対しても、介護福祉士は平常時からそれぞれの特性を理解し、被災時にあっては適切な支援を行う必要がありま

---

❺災害対策基本法
1961（昭和36）年に制定された災害対策に関する法律。東日本大震災を受けた2013（平成25）年の改正で「要配慮者」関係の規定が整備された。

❻要配慮者
災害対策基本法では、要配慮者を「高齢者、障害者、乳幼児その他の特に配慮を要する者」と定めている。具体的には、高齢者、障害者、乳幼児に限らず、妊婦や傷病者、日本語が不自由な外国人など、幅広い対象に配慮が必要と考えられる。

❼内部障害者
内部障害とは、内臓などの障害で、身体障害者福祉法では心臓、腎臓、呼吸器、膀胱・直腸、小腸、ヒト免疫不全ウイルスによる免疫、肝臓の機能の障害があげられている。外見ではわからないことから必要な支援を受けられないおそれがある。

す。
　災害を受け、高齢者や障害者、子どものほか、傷病者等といった地域の要配慮者が、避難所等において、長期間の避難生活を余儀なくされ、必要な支援が行われない結果、生活機能の低下や要介護度の重度化などの廃用症候群（生活不活発病）が生じているケースがあります。これらの人々が、避難生活終了後、安定的な日常生活へと円滑に移行するためには、避難生活の早期の段階から、その福祉ニーズを的確に把握するとともに、可能な限りそのニーズに対応し、生活機能の維持を支援していく体制の構築が喫緊の課題となっています。
　廃用症候群（生活不活発病）とは、「生活が不活発な（動かない）状態が続くことにより、心身の機能が低下して、「動けなくなる」こと」をいいます。「災害時だから仕方ない」というものではなく、環境の大変化で動けないのか、することがないので動かないのか、生活を活発にしていく手がかりの発見が大切です。

2　災害派遣福祉チーム

　このようななか、福祉専門職による**災害派遣福祉チーム**（DWAT：Disaster Welfare Assistance Team・**DCAT**：Disaster Care Assistance Team）の活躍が期待されています。災害派遣福祉チームとは災害発生直後に被災地に入り、一般（指定）避難所等の一次避難所で高齢者や障害者の支援を行う専門家チームのことで、都道府県単位や民間の社会福祉法人等で構成されています。これらのことから介護福祉士はチームの一員として、被災地に入ることも多くなりました。
　災害発生時にはだれもが切迫した状態にあり、強いストレスが重なることから、尊厳に対する意識が薄らいでしまうことがあります。その結果として、高齢者や障害者などへの配慮が不足し、時にはこころない言動につながることも考えられます。また「**自立支援**❽」「**利用者主体**❾のケア」といいながらも、非日常状態が続くと、被災者に何でもしてあげたくなり、支援漬けのような状態にしてしまい、自立を妨げ、当事者不在の介護をしてしまいがちです。しかし、いかなる状況においてもその人の生活が継続できるよう支援するのが福祉専門職です。できるだけ早く、被災者がその状態から脱却し、元の生活に戻れるよう、介護福祉士は関係者と連携・協働して支援にあたる必要があります。

❽**自立支援**
p.152参照

❾**利用者主体**
p.55参照

3 災害時の介護

　介護福祉士は、非日常場面においても、安心・安楽を基盤とし、生活環境整備に気を配り、生活の質の担保、限られた空間のなかでの快適さを追求することが求められます。救われた命を守り、健康状態の悪化を最小限に食い止め、要介護状態におちいることを予防することが専門職として果たすべき使命ではないでしょうか。

　災害時は「平常時対応の顕在化」です。「災害」という特殊な事態だけを考えるのではなく、平常時と連続したものとしてとらえるべきだということです。介護福祉士は、平常時の専門性をいかした介護福祉の実践を大切にしつつ、時には見直し、平常時からの地域や多職種との連携が不可欠と考えられます（**表2−1**）。

表2−1　災害支援からみえる介護福祉士の役割と専門性

① 最後まで責任をもってかかわるというよりは、責任をもってかかわる人につなぐために伴走する
② 補完的介護ではなく、継続性のある支援を行う
③ 自立支援の視点でかかわる
④ 非日常状態であっても尊厳を支える介護とは何かを追求する
⑤ 互助・共助の文化の醸成を一緒にはかっていく
⑥ 社会資源を構築するかかわりを積極的にもつ
⑦ 介護を通して獲得した情報を関係者に提供する

出典：日本介護福祉士会編『災害時における介護のボランティア入門――介護福祉士の専門性をいかして』中央法規出版、p.25、2018年を一部改変

写真2-1　一般避難所における介護福祉士の支援（筆者撮影）

写真2-2　2018（平成30）年8月に熊本の仮設住宅で熊本DCATのメンバーと（筆者撮影）

◆ 参考文献
- 日本介護福祉士会編『災害時における介護のボランティア入門——介護福祉士の専門性をいかして』中央法規出版、2018年
- 後藤真澄・高橋美岐子編『災害時の要介護者へのケア——いのちとくらしの尊厳を守るために』中央法規出版、2014年
- 厚生労働省ホームページ「災害時における福祉支援体制の整備等」
- 磯田道史『天災から日本史を読みなおす——先人に学ぶ防災』中央公論新社、2014年

演習2-3　介護福祉士の活動する場と役割

　介護福祉士はさまざまな場所で活動しているが、将来、あなたは介護福祉士としてどのような場所でどのような活動をしたいだろうか。また、そのためには、今後どのような知識・技術を習得する必要があるだろうか。グループで話し合ってみよう。

1 介護福祉士として活動したい場所

2 活動したい内容

3 今後、習得すべき知識・技術

第3節 介護福祉士に求められる役割とその養成

学習のポイント
- 介護ニーズの変化と、介護福祉士に求められる役割を理解する
- 求められる介護福祉士像を理解する
- 各領域での学びを構造的に理解する

関連項目
① 『人間の理解』　▶第3章「介護実践におけるチームマネジメント」
⑤ 『コミュニケーション技術』　▶第5章「介護におけるチームのコミュニケーション」

　第1節で学んだように、1987(昭和62)年に社会福祉士及び介護福祉士法が成立し、介護福祉士の資格が誕生しました。介護福祉士の養成カリキュラムは、介護福祉士に求められる知識や技術の習得、価値や倫理を養うための内容となっており、介護福祉士に求められる期待や社会的な役割を映しています。

　現在の介護福祉士養成カリキュラムは1850時間ですが、創設当初は1500時間でした。介護需要の増大や多様化にともなう社会の要請に対応するため、これまでに4回、介護福祉士養成カリキュラムの見直しが行われています。

　カリキュラムの変遷をたどることは、介護福祉士に求められる社会的な役割の拡大と専門性の深化を理解することにつながります。

　過去の**介護福祉士養成カリキュラムの変遷**を大別すると、以下の3区分に整理することができます(図2-11)。

① 介護福祉士養成教育の始まり
② 社会福祉専門職に求められる役割の拡大
③ 介護福祉現場での中心的役割としての介護福祉士への期待

　それでは、過去の見直しもふまえて、カリキュラムについてみていきましょう。

第3節 介護福祉士に求められる役割とその養成

図2-11 介護福祉士養成カリキュラムの変遷

①介護福祉士養成教育の始まり

一般教養科目	人文科学系等から4科目	120
専門科目	社会福祉概論(講義)	60
	老人福祉論(講義)	30
	障害者福祉論(講義)	30
	リハビリテーション論(講義)	30
	社会福祉援助技術(講義)	30
	社会福祉援助技術(演習)	30
	レクリエーション指導法(演習)	60
	老人・障害者の心理(講義)	60
	家政学概論(講義)	30
	栄養・調理(講義)	30
	家政学実習	90
	医学一般(講義)	60
	精神衛生(講義)	30
	介護概論(講義)	60
	介護技術(演習)	120
	障害形態別介護技術(演習)	120
	介護実習(実習)	450
	実習指導(演習)	60
総時間数		1,500

②社会福祉専門職に求められる役割の拡大

基礎分野	人間とその生活の理解	120
専門分野	社会福祉概論(講義)	60
	老人福祉論(講義)	60
	障害者福祉論(講義)	30
	リハビリテーション論(講義)	30
	社会福祉援助技術(講義)	30
	社会福祉援助技術演習(演習)	30
	レクリエーション活動援助法(演習)	60
	老人・障害者の心理(講義)	60
	家政学概論(講義)	60
	家政学実習	90
	医学一般(講義)	90
	精神保健(講義)	30
	介護概論(講義)	60
	介護技術(演習)	150
	形態別介護技術(演習)	150
	介護実習(実習)	450
	介護実習指導(演習)	90
総時間数		1,650

③介護福祉現場での中心的役割としての介護福祉士への期待

領域	人間と社会	240
	人間の尊厳と自立	30以上
	人間関係とコミュニケーション	30以上
	社会の理解	60以上
領域	介護	1,260
	介護の基本	180
	コミュニケーション技術	60
	生活支援技術	300
	介護過程	150
	介護総合演習	120
	介護実習	450
領域	こころとからだのしくみ	300
	発達と老化の理解	60
	認知症の理解	60
	障害の理解	60
	こころとからだのしくみ	120
総時間数		1,800

+

領域	医療的ケア	50
	医療的ケア	50
総時間数		1,850

※2011(平成23)年に追加

1 介護福祉士養成教育の始まり

　1987（昭和62）年に社会福祉士及び介護福祉士法が制定され、翌年の1988（昭和63）年4月から、介護福祉士養成教育が始まりました。それまで介護分野における国家資格は存在しておらず、体系的な教育が不十分であるという指摘がありましたが、社会福祉士及び介護福祉士法の制定により、介護に関する国家資格の養成教育がスタートすることとなりました。

　資格創設時、介護福祉士の業は、社会福祉士及び介護福祉士法第2条第2項により、「専門的知識及び技術をもって、身体上又は精神上の障害があることにより日常生活を営むのに支障がある者につき入浴、排せつ、食事その他の介護を行い、並びにその者及びその介護者に対して介護に関する指導を行うこと」と定義されていました。

　介護福祉士のカリキュラムの内容は、これらの業をになう専門職として必要な知識、技術を習得し、一定の水準を担保するものである必要がありました。介護福祉士のカリキュラムは、「社会福祉におけるケアワーカー（介護職員）の専門性と資格制度について（意見）」をふまえ、「社会福祉士・介護福祉士養成施設、試験等検討会」によって検討され、①社会福祉の倫理性および制度、さらに方法、②援助に必要な家政学的知識と食、衣、住生活援助のための家事実技、③摂食、排泄、衣服の着脱、入浴など介護に関する理解と援助技術、④保健・医療に関する理解等を学ぶ、1500時間の内容が定められ、授業科目の目標と内容が示されました。

　なお、介護福祉士養成施設の学生は、国家試験を受験しなくても、卒業と同時に**介護福祉士国家資格を取得**❶することができました。

❶介護福祉士国家資格の取得
p.73参照

2 社会福祉専門職に求められる役割の拡大

　介護福祉士養成教育の開始以降、日本の社会福祉を取り巻く状況は大きく変化しました。

　福祉需要の増大と多様化に適切に対応するため、利用者本位の利用制度への転換や、社会福祉事業の推進、地域福祉の充実といった**社会福祉**

基礎構造改革[2]が進められてきました。この改革においては、質の高い福祉サービスの拡充をはかることも大きな柱の1つとされていました。

その福祉サービスのにない手となる福祉専門職の質の向上をはかるため、「福祉専門職の教育課程等に関する検討会」が設置されました。検討会では、社会福祉士、介護福祉士、社会福祉主事それぞれの資格の教育課程の見直しが行われ、1999（平成11）年3月に「福祉専門職の教育課程等に関する検討会報告書」がまとめられました。

介護福祉士には、在宅重視の観点から、施設だけでなく在宅サービスにおいても活躍の場の拡大が期待されました。さらに、2000（平成12）年から介護保険制度が実施されることにともない、ほかの保健医療福祉従事者とのいっそうの連携や介護支援サービスの実施などの新たな役割が求められることとなりました。

こうしたなかで、介護福祉士には介護に関する専門職としての役割が期待され、**期待される介護福祉士像**が示されました（表2－2）。

これらの期待される能力を養うために、①介護保険制度およびケアマネジメントに関する教育内容の追加、②保健医療分野の専門職との連携に必要な医学知識の強化、③介護福祉士の資質の向上、専門性を高めるために介護過程の展開方法を追加、④居宅での生活を支援するために必要な知識・技術の強化と居宅介護実習の必修化などの見直しが行われました。当初の教育内容をベースとし、教育時間は1500時間から150時間増加し、総時間数は1650時間となりました。また、介護系教員のうち1人以上は介護福祉士であることとされ、介護福祉士が教員要件に位置づけられました。

[2] **社会福祉基礎構造改革**
p.40参照

表2－2 期待される介護福祉士像

- 感性豊かな人間性と幅広い教養を身につけ、意思疎通をうまく行って介護を必要とする人との信頼関係を築くことができること。
- 要介護者等の状況を判断し、それに応じた介護を計画的に実施しその結果を自ら評価できること。
- 介護を必要とする人の生命や人権を尊重し、自立支援の観点から介護できること。
- 他の保健医療福祉従事者等と連携し、協働して介護できること。
- 資質の向上を図るために自己研鑽とともに後進の育成に努めること。

出典：「福祉専門職の教育課程等に関する検討会報告書」1999年

3 介護福祉現場での中心的役割としての介護福祉士への期待

　介護福祉士の資格取得者数は制度創設以降年々増加し、介護施設においては、介護福祉職の約4割が介護福祉士となるなど、介護福祉士は、介護サービスの中心的な役割をになう人材として期待されました。

　介護保険制度や障害者自立支援制度が導入されたことにより、介護サービスは、自立支援や尊厳の保持が重視され、個別ケアが基本となりました。認知症のある人や知的障害等のある人へのケアなど、従来の身体介護にとどまらない、利用者の心理的・社会的側面も含めた「その人らしさ」を支えるケアが重視されるようになりました。

　また、ユニットケアや小規模多機能型居宅介護など新しい介護サービスへの対応が求められるようになりました。介護ニーズの変化に対応できる人材を育成する必要があることから、2006（平成18）年「介護福祉士のあり方及びその養成プロセスの見直し等に関する検討会」が設置され、今後の介護福祉士のあり方について議論されました。

　検討会の報告書では、介護サービスの中心的役割をになう人材として12項目の「求められる介護福祉士像」（図2-12の右枠）が示されました。また、介護福祉士養成制度のあり方として、①養成施設ルートへの国家試験の受験義務化、②実務経験ルートへの実務者研修受講の義務化、③養成カリキュラムの拡充などが提言されました。

　それまでのカリキュラムは、「介護技術」「医学一般」「老人福祉論」というように、科目単位で構成されていました。介護福祉士創設後、20年が経過した2007（平成19）年の改正では、それまでの科目、カリキュラム等にとらわれず、抜本的な見直しが行われました。

　介護福祉が実践の技術であるということから、「尊厳の保持」や「自立支援」の考え方をふまえたうえで「その人らしい生活」を支えるための「介護」を中心に、介護実践のための基盤となる教養や倫理的態度を養うための「人間と社会」、多職種協働や適切な介護の提供に必要な根拠としての「こころとからだのしくみ」の3つの領域に統合・再編されました。

　この改正では、求められる介護福祉士像をめざすために、養成の目標として「資格取得時の到達目標」が示され、「介護を必要とする幅広い

図2-12 介護福祉士養成の目標

資格取得時の到達目標

1. 他者に共感でき、相手の立場に立って考えられる姿勢を身につける
2. あらゆる介護場面に共通する基礎的な介護の知識・技術を習得する
3. 介護実践の根拠を理解する
4. 介護を必要とする人の潜在能力を引き出し、活用・発揮させることの意義について理解できる
5. 利用者本位のサービスを提供するため、多職種協働によるチームアプローチの必要性を理解できる
6. 介護に関する社会保障の制度、施策についての基本的理解ができる
7. 他の職種の役割を理解し、チームに参画する能力を養う
8. 利用者ができるだけなじみのある環境で日常的な生活が送れるよう、利用者ひとりひとりの生活している状態を的確に把握し、自立支援に資するサービスを総合的、計画的に提供できる能力を身につける
9. 円滑なコミュニケーションの取り方の基本を身につける
10. 的確な記録・記述の方法を身につける
11. 人権擁護の視点、職業倫理を身につける

→ **資格取得時の介護福祉士**
介護を必要とする幅広い利用者に対する基本的な介護を提供できる能力

求められる介護福祉士像

1. 尊厳を支えるケアの実践
2. 現場で必要とされる実践的能力
3. 自立支援を重視し、これからの介護ニーズ、政策にも対応できる
4. 施設・地域(在宅)を通じた汎用性ある能力
5. 心理的・社会的支援の重視
6. 予防からリハビリテーション、看取りまで、利用者の状態の変化に対応できる
7. 多職種協働によるチームケア
8. 一人でも基本的な対応ができる
9. 「個別ケア」の実践
10. 利用者・家族、チームに対するコミュニケーション能力や的確な記録・記述力
11. 関連領域の基本的な理解
12. 高い倫理性の保持

利用者に対する基本的な介護を提供できる能力」の習得をめざす教育内容とされました(図2-12)。教育カリキュラムには、資格取得時の介護福祉士養成の目標、各領域の教育の目的、教育内容ごとに教育のねらいと教育に含むべき事項が示されました。

「介護」の領域が1260時間に拡充され、利用者の状況に応じた介護過程の実践的展開ができるよう、「介護過程」(150時間)が教育内容として位置づけられました。また、認知症高齢者が増加することへの対応がよりいっそう求められることから、「認知症の理解」(60時間)が独立した教育内容として設定されました。

また、これまで実務経験ルートでは、3年以上の実務経験で国家試験

を受験することができましたが、3年間の実務経験に加えて、450時間の実務者研修を受講することが必要となりました。これは、認知症高齢者の増加や成年後見、権利擁護への対応など、介護福祉士に新しい役割が求められているなかで、実務経験だけでは、十分に修得できない知識・技術を身につけることが必要とされたことによるものです。これにより、介護福祉士の資格を取得するためには、養成教育を修了することが基本となりました。

その後、増大する医療ニーズへの対応が求められる社会背景をふまえ、2011（平成23）年、介護サービスの基盤強化のための介護保険法等の一部を改正する法律にともない、「医療的ケア（喀痰吸引・経管栄養）」の教育内容が追加され、介護福祉士のカリキュラムは1850時間に拡充され、現在のカリキュラムとほぼ同じ構造となりました。

4 チームリーダーとしての介護福祉士への期待

2020（令和2）年の日本の高齢化率は、『令和3年版 高齢社会白書』によると、28.8％と過去最高となっており、2060年までは一貫して高齢化率が上昇することが見込まれています。労働人口が減少するなか、限られた介護人材で、より質の高い介護サービスを提供するために、介護福祉の専門職である介護福祉士に期待される役割はよりいっそう大きくなりました。

社会保障審議会福祉部会福祉人材確保専門委員会において、介護人材の全体像のあり方や介護福祉士がになうべき機能のあり方について検討され、2017（平成29）年10月に報告書「介護人材に求められる機能の明確化とキャリアパスの実現に向けて」がまとめられました。

限られた人材で利用者の多様なニーズに的確に対応するためには、未経験者を含め多様な人材構成での介護職チームによるケアを推進していくことが重要であるとされました。そのためには、利用者の尊厳ある自立した日常生活の支援に向けて、チーム内の介護職に対する指導や助言、サービスが適切に提供されているかの管理等をになうチームリーダーが必要であり、一定のキャリアを積んだ介護福祉士がその役割をになうべきであるとされました。

これらの期待される役割や、社会状況や制度改正等をふまえ、「求め

第3節 介護福祉士に求められる役割とその養成

図2-13 「求められる介護福祉士像」の見直し

【見直し前】
1. 尊厳を支えるケアの実践
2. 現場で必要とされる実践的能力
3. 自立支援を重視し、これからの介護ニーズ、政策にも対応できる
4. 施設・地域（在宅）を通じた汎用性ある能力
5. 心理的・社会的支援の重視
6. 予防からリハビリテーション、看取りまで、利用者の状態の変化に対応できる
7. 多職種協働によるチームケア
8. 一人でも基本的な対応ができる
9. 「個別ケア」の実践
10. 利用者・家族、チームに対するコミュニケーション能力や的確な記録・記述力
11. 関連領域の基本的な理解
12. 高い倫理性の保持

社会状況や人々の意識の移り変わり、制度改正等

【見直し後】
1. 尊厳と自立を支えるケアを実践する
2. 専門職として自律的に介護過程の展開ができる
3. 身体的な支援だけでなく、心理的・社会的支援も展開できる
4. 介護ニーズの複雑化・多様化・高度化に対応し、本人や家族等のエンパワメントを重視した支援ができる
5. QOL（生活の質）の維持・向上の視点を持って、介護予防からリハビリテーション、看取りまで、対象者の状態の変化に対応できる
6. 地域の中で、施設・在宅にかかわらず、本人が望む生活を支えることができる
7. 関連領域の基本的なことを理解し、多職種協働によるチームケアを実践する
8. 本人や家族、チームに対するコミュニケーションや、的確な記録・記述ができる
9. 制度を理解しつつ、地域や社会のニーズに対応できる
10. 介護職の中で中核的な役割を担う

高い倫理性の保持

出典：社会保障審議会福祉部会福祉人材確保専門委員会「介護人材に求められる機能の明確化とキャリアパスの実現に向けて」2017年

られる介護福祉士像」の見直し（図2-13）が行われました。
　また、介護福祉士の養成については、介護福祉の専門職として、介護職のグループのなかで中核的な役割を果たし、認知症高齢者や高齢単身世帯等の増加などにともなう介護ニーズの複雑化・多様化・高度化に対応できる介護福祉士を養成する必要性が指摘されました。

1 求められる介護福祉士像の実現に向けたカリキュラムの見直し

　社会保障審議会福祉部会福祉人材確保専門委員会で取りまとめられた報告書「介護人材に求められる機能の明確化とキャリアパスの実現に向

けて」の内容をふまえ、「求められる介護福祉士像」に即した介護福祉士を養成するために、2018（平成30）年に見直しが行われ、現在のカリキュラムになりました。

見直しのおもな観点は、
① チームマネジメント能力を養うための教育内容の拡充
② 対象者の生活を地域で支えるための実践力の向上
③ 介護過程の実践力の向上
④ 認知症ケアの実践力の向上
⑤ 介護と医療の連携を踏まえた実践力の向上
の5つです。

（1）チームマネジメント能力を養うための教育内容の拡充

利用者の多様なニーズに的確に対応するためには、介護福祉職がチームでかかわるチームケアを推進する必要があります。チームケアを推進するにあたっては、リーダーの役割をになう者と、リーダーのもとで専門職としての役割を発揮していく者の力が必要となります。そこで、「人間関係とコミュニケーション」の教育に含むべき事項に**チームマネジメント**が追加され、時間数が30時間から**60時間**に拡充されました。これにより、介護福祉士は、介護実践をマネジメントするために必要な組織の運営管理、人材の育成や活用などの人材管理、それらに必要なリーダーシップ・フォロワーシップなど、チーム運営の基本を理解する内容について学ぶこととされました。

（2）対象者の生活を地域で支えるための実践力の向上

対象者の生活を地域で支えるためには、多様なサービスに対応する力が求められます。そのため、「社会の理解」では、地域共生社会の考え方と地域包括ケアシステムのしくみを理解し、その実現のための制度や施策を学ぶ内容である**地域共生社会**が、教育に含むべき事項に追加されました。

また、領域「介護」は、対象者となる人を中心に、生活と地域とのかかわりや、地域での生活を支える施設・機関の役割を理解します。「**介護実習**」では、地域における生活支援を実践的に学ぶことが教育に含むべき事項に示されました。

（3）介護過程の実践力の向上

　めざすべき姿とされた「求められる介護福祉士像」には、「専門職として自律的に介護過程の展開ができる」と示されています。複雑化・多様化・高度化する介護ニーズに対応するためには、適切に利用者等のニーズや課題をとらえたうえで支援を行っていく必要があるからです。

　介護過程については、個別ケアの実践が適切に行われるよう**アセスメント**能力を高めることが重要ですが、利用者本人の心身の状況にかかるアセスメントだけでなく、本人の生活の場である地域や集団とのかかわりといった社会との関係性も含めたアセスメントについても十分に学び、対応できることが求められています。

（4）認知症ケアの実践力の向上

　認知症高齢者はいっそう増加しており、介護福祉士には本人の思いや症状などの個別性に応じた支援や、地域とのつながりおよび家族への支援を含めた**認知症ケア**の実践力が求められています。

　そのため、認知症の原因となる疾患および段階に応じた心身の変化や心理症状を理解し、生活支援を行うための根拠となる知識を習得するために、**「認知症の心理的側面の理解」**や本人主体の理念にもとづいた認知症ケアの実践につながる内容となるよう、認知症にともなう生活への影響のみならず、「認知症ケア」が「認知症の理解」の教育に含むべき事項に追加されました。

（5）介護と医療の連携を踏まえた実践力の向上

　施設・在宅にかかわらず、地域のなかで本人が望む生活を支援するためには、医師、看護師、リハビリテーション職などさまざまな職種と連携しケアを提供する必要があります。

　また、医療的なニーズのある人や看取りへの対応など、人体の構造や機能、疾病に関する知識の強化が求められています。さらに、介護の対象者の障害を理解するため、**「発達と老化の理解」**では高齢期のみならずライフサイクルの各期の身体的・心理的・社会的特徴と発達課題および特徴的な疾病について理解する内容とされました。

　また、**「介護実習」**において、多職種との協働のなかで、介護福祉職としての役割を理解することや、サービス担当者会議やケースカンファレンス等を通じて、**多職種連携**や**チームケア**を体験的に学ぶこととされ

ました。

　介護福祉士養成カリキュラムは、求められる介護福祉士像への到達をめざし、各領域の「目的」、教育内容の「ねらい」を体系的に整理しています。また、カリキュラムには教育に含むべき事項の主旨を明確にするため、「留意点」が示されています。領域「介護」の目的に、「各領域で学んだ知識と技術を統合し、介護実践に必要な観察力・判断力及び思考力を養う」ことが示されたことからもわかるように、今学んでいる科目が、どのような「ねらい」や「目的」のもとに位置づけられているのかを意識することで、より学びを深めることにつながります（図2－14）。

第3節 介護福祉士に求められる役割とその養成

図2-14 「求められる介護福祉士像」と「領域の目的と教育内容等」

求められる介護福祉士像

1. 尊厳と自立を支えるケアを実践する
2. 専門職として自律的に介護過程の展開ができる
3. 身体的な支援だけでなく、心理的・社会的支援も展開できる
4. 介護ニーズの複雑化・多様化・高度化に対応し、本人や家族等のエンパワメントを重視した支援ができる
5. QOL（生活の質）の維持・向上の視点を持って、介護予防からリハビリテーション、看取りまで、対象者の状態の変化に対応できる
6. 地域の中で、施設・在宅にかかわらず、本人が望む生活を支えることができる
7. 関連領域の基本的なことを理解し、多職種協働によるチームケアを実践する
8. 本人や家族、チームに対するコミュニケーションや、的確な記録・記述ができる
9. 制度を理解しつつ、地域や社会のニーズに対応できる
10. 介護職の中で中核的な役割を担う

高い倫理性の保持

	目的	教育内容	ねらい
人間と社会の理解	1. 福祉の理念を理解し、尊厳の保持や権利擁護の視点及び専門職としての基盤となる倫理観を養う。	人間の尊厳と自立	人間の理解を基礎として、尊厳の保持と自立について理解し、介護福祉の倫理的課題への対応能力の基礎を養う学習とする。
	2. 人間関係の形成やチームで働く力を養うための、コミュニケーションやチームマネジメントの基礎的な知識を身につける。	人間関係とコミュニケーション	1. 対人援助に必要な人間の関係性を理解し、関係形成に必要なコミュニケーションの基礎的な知識を習得する学習とする。 2. 介護の質を高めるために必要な、チームマネジメントの基礎的知識を理解し、チームで働くための能力を養う学習とする。
	3. 対象者の生活を地域の中で支えていく観点から、地域社会における生活とその支援についての基礎的な知識を身につける。 4. 介護実践に必要な知識という観点から、社会保障の制度、施策についての基礎的な知識を身につける。 5. 介護実践を支える教養を高め、総合的な判断力及び豊かな人間性を養う。	社会の理解	1. 個や集団、社会の単位で人間を理解する視点を養い、生活と社会の関係性を体系的に捉える学習とする。 2. 対象者の生活の場としての地域という観点から、地域共生社会や地域包括ケアの基礎的な知識を習得する学習とする。 3. 日本の社会保障の基本的な考え方、しくみについて理解する学習とする。 4. 高齢者福祉、障害者福祉及び権利擁護等の制度・施策について、介護実践に必要な観点から、基礎的な知識を習得する学習とする。

領域	目標	科目	内容
介護	1．介護福祉士に求められる役割と機能を理解し、専門職としての態度を養う。	介護の基本	介護福祉の基本となる理念や、地域を基盤とした生活の継続性を支援するためのしくみを理解し、介護福祉の専門職としての能力と態度を養う学習とする。
	2．介護を実践する対象、場によらず、様々な場面に必要とされる介護の基礎的な知識・技術を習得する。	コミュニケーション技術	対象者との支援関係の構築やチームケアを実践するためのコミュニケーションの意義や技法を学び、介護実践に必要なコミュニケーション能力を養う学習とする。
	3．本人、家族等との関係性の構築やチームケアを実践するための、コミュニケーションの基礎的な知識・技術を習得する。	生活支援技術	尊厳の保持や自立支援、生活の豊かさの観点から、本人主体の生活が継続できるよう、根拠に基づいた介護実践を行うための知識・技術を習得する学習とする。
	4．対象となる人の能力を引き出し、本人主体の生活を地域で継続するための介護過程を展開できる能力を養う。	介護過程	本人の望む生活の実現に向けて、生活課題の分析を行い、根拠に基づく介護実践を伴う課題解決の思考過程を習得する学習とする。
	5．介護実践における安全を管理するための基礎的な知識・技術を習得する。	介護総合演習	介護実践に必要な知識や技術の統合を行うとともに、介護観を形成し、専門職としての態度を養う学習とする。
	6．各領域で学んだ知識と技術を統合し、介護実践に必要な観察力・判断力及び思考力を養う。	介護実習	①地域における様々な場において、対象者の生活を理解し、本人や家族とのコミュニケーションや生活支援を行う基礎的能力を習得する学習とする。 ②本人の望む生活の実現に向けて、多職種との協働の中で、介護過程を実践する能力を養う学習とする。
こころとからだのしくみ	1．介護実践に必要な根拠となる、心身の構造や機能及び発達段階とその課題について理解し、対象者の生活を支援するという観点から、身体的・心理的・社会的側面を統合的に捉えるための知識を身につける。	こころとからだのしくみ	介護を必要とする人の生活支援を行うため、介護実践の根拠となる人間の心理、人体の構造や機能を理解する学習とする。
	2．認知症や障害のある人の生活を支えるという観点から、医療職と連携し支援を行うための、心身の機能及び関連する障害や疾病の基礎的な知識を身につける。	発達と老化の理解	人間の成長と発達の過程における、身体的・心理的・社会的変化及び老化が生活に及ぼす影響を理解し、ライフサイクルの特徴に応じた生活を支援するために必要な基礎的な知識を習得する学習とする。
		認知症の理解	認知症の人の心理や身体機能、社会的側面に関する基礎的な知識を習得するとともに、認知症の人を中心に据え、本人や家族、地域の力を活かした認知症ケアについて理解するための基礎的な知識を習得する学習とする。
	3．認知症や障害のある人の心身の機能が生活に及ぼす影響について理解し、本人と家族が地域で自立した生活を継続するために必要とされる心理・社会的な支援について基礎的な知識を身につける。	障害の理解	障害のある人の心理や身体機能、社会的側面に関する基礎的な知識を習得するとともに、障害のある人の地域での生活を理解し、本人のみならず家族や地域を含めた周囲の環境への支援を理解するための基礎的な知識を習得する学習とする。
医療的ケア	医療的ケアが必要な人の安全で安楽な生活を支えるという観点から、医療職との連携のもとで医療的ケアを安全・適切に実施できるよう、必要な知識・技術を習得する。	医療的ケア	医療的ケアを安全・適切に実施するために必要な知識・技術を習得する学習とする。

第 4 節

介護福祉士を支える団体

学習のポイント
- 介護福祉士を支える職能団体や養成施設協会のはたらきを理解する
- 専門的な技術・知識を高める生涯研修や、各学会の活動について理解する

関連項目
① 『人間の理解』 ▶ 第3章第3節「人材育成・自己研鑽のためのチームマネジメント」
④ 『介護の基本Ⅱ』 ▶ 第4章「協働する多職種の機能と役割」

1 日本介護福祉士会

　みなさんは**専門職能団体**を知っていますか？　あまり聞き慣れない言葉だと思います。世の中には多くの国家資格があります。介護福祉士をはじめ、社会福祉士・精神保健福祉士・医師・看護師・理学療法士・作業療法士・言語聴覚士・栄養士など、私たちに関係する介護・福祉・医療においても資格がたくさん存在しています。これらの専門職は、その知識や技術がそれぞれ違い、役割なども違います。たとえば医師は病気やけがを治療するための知識と技術をもっていますが、実際の医療現場では患者と向き合いながら、さまざまな種類の病気やけがの程度に対応していかなければなりません。そのため、医師の資格を取ったあとでも新たな知識や技術を身につけるために学びつづけなければ、最前線の現場では通用しないでしょう。介護福祉士も同じです。在学中に学び、国家試験に合格さえすればどんな現場でも通用する介護福祉士になれるわけではありません。常に技術や知識を時代の変化にあわせて向上させなければ、専門性を向上させることはできません。自分たちの資格の専門性を常に向上させるために、研修会をはじめとするさまざまな取り組みを行っているのが専門職能団体です。医師には医師会、看護師には看護協会、介護福祉士には**介護福祉士会**が存在しているのです。
　また、高齢者の介護現場、障害者の現場、医療の現場、介護福祉士養

成施設（学校）の教員等、介護福祉士として活躍する現場はさまざまです。違う領域の介護福祉士たちがつどい、意見交換をしたり、学び合ったりできる場所、それが専門職能団体なのです。

　<u>日本介護福祉士会</u>は、表2-3のように、1994（平成6）年に設立しました。「公益社団法人」という、広く国民の利益につながるような、学術・文化・教育や福祉など公益事業を目的とする、国が認めた法人の認定を受け、専門職能団体として活動に取り組んでいます。日本介護福祉士会は表2-4の目的にあるように、「国民の福祉の向上」を最大の目的とし、だれもが安心して暮らすことのできる社会づくりをめざしています。おもな活動には、①生涯研修の推進、②制度・政策の検討、③調査・研究の推進、④学術研究の推進、⑤出版事業の推進、⑥福利厚生、⑦災害支援活動があります。

　47都道府県ごとに団体が存在し、日本介護福祉士会と連携しながら、介護福祉士の質を高めるための研修会や、<u>介護の日</u>（11月11日）を中心とした介護のPRイベント、これから介護福祉職や介護福祉士をめざす方へのサポートなど、幅広い事業を全国各地で行っています。

表2-3　日本介護福祉士会の沿革

1987（昭和62）年	社会福祉士及び介護福祉士法の制定
1994（平成6）年	日本介護福祉士会設立
1995（平成7）年	日本介護福祉士会倫理綱領の制定
2000（平成12）年	社団法人日本介護福祉士会（社団法人化）
2013（平成25）年	公益社団法人日本介護福祉士会（移行認可で公益社団化）

表2-4　日本介護福祉士会の目的

　都道府県介護福祉士会との連携のもと、介護福祉士の職業倫理及び専門性の確立、介護福祉に関する専門的教育及び研究の推進並びに介護に関する知識の普及を図り、介護福祉の資質及び社会的地位の向上に資するとともに、国民の福祉の増進に寄与することを目的とする。

第4節 介護福祉士を支える団体

1 生涯研修の推進

専門職は資格を取得してからも、学びつづけることが必要です。**社会福祉士及び介護福祉士法**にも次のように定められています。

> 社会福祉士及び介護福祉士法
> （資質向上の責務）
> 第47条の2　社会福祉士又は介護福祉士は、社会福祉及び介護を取り巻く環境の変化による業務の内容の変化に適応するため、相談援助又は介護等に関する知識及び技能の向上に努めなければならない。

有資格者として、常に求められる役割や期待にこたえるためには、現場実践の経験を積み重ねながら、新しい情報・知識・技術を取り入れなければなりません。そのために、資格を取得して経験が浅い人を対象とした研修、中堅やベテランの人を対象とした研修、リーダーを養成する研修など、段階や領域に応じた研修体系を整理し、全国の都道府県介護福祉士会で実施しています。また、その研修を行うにあたって、講義を担当する講師を養成する研修や、使用するテキスト教材の作成なども行っており、全国で行われる研修の質が一定に保たれるようにしています（図2-15）。

（1）介護福祉士基本研修

介護福祉士基本研修（25時間）は介護福祉士資格取得後2年未満の初任者を対象とした研修であり、介護過程の展開を主とした、根拠のある介護実践に必要な視点や考え方を学ぶ研修です。資格取得前の養成課程において、介護過程について学習しますが、実践の場での経験をいかして、さらにその知識を深めるための研修です。この研修を通じて、根拠のある介護を実践するために必要な、適切なアセスメントや介護計画の作成法などをふり返り、利用者の尊厳を保持し、自立支援をめざした介護サービスのあり方を学びます。

（2）ファーストステップ研修

ファーストステップ研修（200時間）は介護福祉士資格取得後2～3年程度の実務経験をもつ者を対象とした研修であり、ユニット単位等の小規模チームのリーダーや、初任者の教育・指導の役割がになえる人材を養成する研修です。「ケア領域」「連携領域」「運営管理領域」といっ

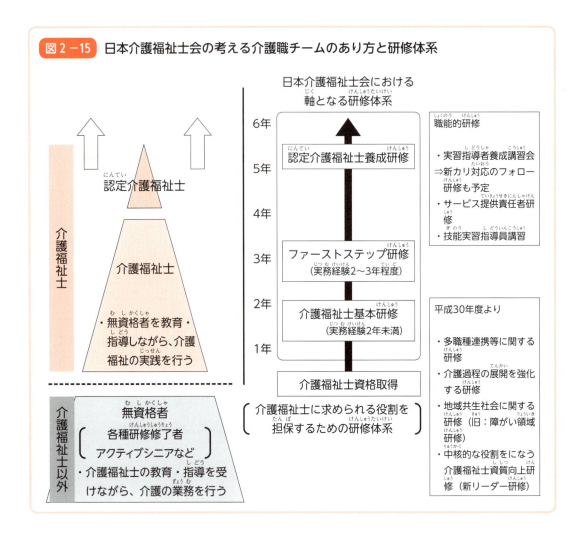

図2-15 日本介護福祉士会の考える介護職チームのあり方と研修体系

　た、リーダー的役割をになう介護福祉士に必要な学習内容であり、的確な判断、対人理解にもとづく尊厳を支えるケアの実践、小規模チームのリーダーや初任者等の指導係としての視点や技術を学びます。時間数も前述の初任者を対象とした介護福祉士基本研修より多くなりますが、各科目に対して事前・事後のレポート作成を通じて、みずからの現場実践や思考を言語化することにより、客観的なふり返りや考えを整理する機会になります。また、スキルアップのために学び高めることの喜びや、業務改善に向かって努力・工夫しようというモチベーションアップにつながる学びの場となります。

（3）認定介護福祉士養成研修

認定介護福祉士養成研修（600時間）は介護福祉士資格取得後5年以上の介護福祉士を対象とした研修であり、一般社団法人認定介護福祉士認証・認定機構が、日本介護福祉士会をはじめとする介護・福祉業界の関係団体と連携しながら行う研修です。2016（平成28）年度よりスタートしました。

この研修は、居住（在宅）・施設系サービスを問わず、多様な利用者・生活環境、サービス提供形態等に対応して、より質の高い介護福祉の実践や介護サービスマネジメント、介護と医療の連携強化、地域包括ケア等に対応するための考え方や知識、技術等の修得を目的とした、高度な介護福祉専門職を養成する研修です。認定介護福祉士には、介護福祉の高度な実践者としての役割はもちろんのこと、リーダー級の職員を束ねるマネジメント能力をもつゼネラリストとしての期待が寄せられています。

これらのほかにも、訪問介護（ホームヘルプサービス）におけるサービス提供責任者としてスキル向上をはかる研修や、養成施設の学生の実習指導にかかわる実習指導者講習、外国人技能実習指導員講習など、介護福祉サービスの質を高め、指導育成する能力を身につけるための生涯研修制度があります。このように継続的に学ぶ機会を設けることが、専門職としての介護福祉士の評価や信頼を高めることにつながるのです。

2 日本介護学会

日本介護学会は、日本介護福祉士会が専門職能団体として、介護福祉士の職業倫理および専門性の確立などのさらなる向上をめざし、介護の実践者による学術研究の場として2003（平成15）年に設立しました。介護福祉にかかわる学術的な研究を行い、専門的な技術・知識の向上をはかり、豊かな福祉社会の実現をめざすものです。介護福祉士はもちろんのこと、介護福祉にかかわる各分野の実践者や研究者などが、学会員として構成しています。おもな事業として、学術的な研究の成果を発表する日本介護学会の開催や、研究論文を集めた専門誌の発行などを行っています。

> 日本介護学会会則
> （目的）
> 第4条　本学会は、介護福祉にかかわる学術的な研究を推進し、介護福祉の専門的な技術、知識の向上を図り、介護を必要とするすべての人々の尊厳ある人生を支え、豊かな福祉社会の構築に寄与するとともに、実践に根ざした介護福祉研究の支援を通して、介護福祉の学術研究の振興に努めることを目的とする。

3 災害支援活動

❶災害
p.89参照

日本においては、毎年のように水害や地震などによる大規模な自然災害❶が起きています。被災地において、とくに高齢者や障害者など、災害弱者と呼ばれる人々の支援が必要とされます。生活支援の専門職である介護福祉士を、避難所を中心とした場所に派遣し、被災者に寄り添いながら支援します。また、被災地の介護施設などで、施設職員自身が被災して人手不足になる場合もあり、ピンチヒッターとして被災地の介護現場に入ることもあります。被災者本位の支援を心がけ、あたりまえの暮らしを取り戻すための後押しをすることは、通常の介護における自立支援の考え方と同じです。

4 これからのおもな取り組み

❷倫理綱領
p.141参照

❸倫理基準（行動規範）
p.142参照

日本介護福祉士会においては、**倫理綱領**❷および**倫理基準（行動規範）**❸において、会員それぞれが、1人ひとりの心豊かな暮らしを支える介護福祉の専門職として、みずからの専門的知識・技術および倫理的自覚をもって、最善の介護福祉サービスの提供に努めることを宣言しています。専門職能団体として、さまざまな現場で活動している介護福祉士の継続的な教育を推進します。

介護福祉士全体の資質や能力の平準化をはかりつつ、地域包括ケアシステムのなかで、根拠にもとづく質の高い介護福祉の実践をはかるために、次の取り組みを行います。

（1）介護過程を適切に展開できる介護福祉士の育成

資格取得後の実務経験が1～2年程度の者を対象とした**介護過程の展**

開にスポットをあてた研修を会員全員に受講してもらうことを推進しています。経験年数を問わず、介護施設・事業所において介護人材の中核をになうことが期待されている介護福祉士全員が、同じような内容の研修を受講できる環境を整備します。

（2）多職種と適切に連携できる介護福祉士の育成

今後、**多職種連携**を推進するためには、医療専門職やリハビリテーション専門職等を含む幅広い専門職の参加をえた事例検討等の研修を継続的に重ねることが重要です。その際、医療・福祉各領域の言語を共通理解することが必要であり、体系的な研修を通じて、医学やリハビリテーションの知識、心理的支援・社会的支援の実践的な知識の強化をはかります。

（3）介護福祉職チームのマネジメント等がになえる介護福祉士の育成

介護福祉職チームのリーダーは**介護福祉士**です。有資格者・無資格者・未経験者・外国人材など、多様な人材が支える介護現場において、そのまとめ役を介護福祉士が行います。**チームケア**で質の高い介護サービスを提供するためには、**マネジメントスキル**が求められます。また、地域におけるさまざまな機関との連携をはかるためにも、これらの能力が求められます。小規模チームのリーダー養成を想定した**ファーストステップ研修**や、さらに高度な専門人材養成を目的とした**認定介護福祉士養成研修**の開催や受講支援を促進します。

2 日本介護福祉士養成施設協会

公益社団法人日本介護福祉士養成施設協会（介養協）は、社会福祉士及び介護福祉士法に定める介護福祉士養成施設（一般に、介護福祉士を養成する大学、短期大学、専門学校等）の全国団体です。1988（昭和63）年4月、日本ではじめて開校した25校の有志が呼びかけて翌1989（平成元）年4月28日任意団体として発足し、1991（平成3）年3月27日社団法人として厚生大臣から設立許可されています。2013（平成25）年4月1日に公益社団法人へ移行しました。

日本介護福祉士養成施設協会は、介護福祉のにない手の確保および資質の向上を行う介護福祉士養成施設に課せられた社会的使命に鑑み、介護福祉士養成施設の教育内容の充実、介護に関する研究開発および知識の普及に努めています。

　具体的な活動として、養成教育の到達度評価としての学力評価試験の実施、ほかの学生の模範となる優秀な卒業生への協会会長表彰や卒業生の進路調査、養成施設に通う学生が安心して実習や演習を行えるよう万が一の事故に備えた事故補償制度、全国の養成施設の教職員が研鑽を積む場である全国教職員研修会やブロック教員研修会の開催、養成施設の専任教員等に修了が課せられている介護教員講習会等を開催しています。

❹カリキュラム
p.94参照

　制度の改正にあわせて介護福祉士養成課程の**カリキュラム**❹に見直しがあった場合には、新しいカリキュラムの研究を行い、その結果をとりまとめた教育内容の手引き等を作成し全国の養成施設へ頒布します。

　また、専門職能団体である日本介護福祉士会等と連携し、介護福祉士の社会的地位の向上や処遇の改善に関する活動も行っています。

3 日本介護福祉教育学会

　日本介護福祉教育学会は「介護福祉士の養成に関わる教育内容及び教育技術の学術的向上発展を推進し、会員相互の緊密な学問的交流並びに介護福祉教育の普及を通じ国民福祉の増進に寄与すること」(日本介護福祉教育学会会則第2条)を目的に、1994(平成6)年、公益社団法人日本介護福祉士養成施設協会によって設立されました。

　その事業は、①定期的学術集会および講演会の開催、②学会誌『介護福祉教育』等の刊行および配付、③教育上の図書出版、④その他日本介護福祉教育学会の目的を達成するにふさわしい事業、と定められています。

　学会の構成員は、日本介護福祉士養成施設協会に属する養成施設の教職員(非常勤講師も含む)、養成施設の介護実習施設および事業所の実習指導者、卒業生など、また日本介護福祉教育学会の目的に賛同する者であって、幹事会の承認を受けた者とされ、約520名の会員(賛助会員・購読会員を含む)を擁しています。

介護福祉および関連領域の最先端の知識や技術を学び、また養成施設での教育実践や、現場での実践研究などの発表・意見交換・交流の場として、その役割を果たしています。

4 日本介護福祉学会

日本介護福祉学会は、介護福祉についての研究を目的に、研究者・実践者・市民の熱い思いと協力で、1993（平成5）年10月23日に設立されました。会員976名（2021（令和3）年8月20日現在）。初代会長の故一番ヶ瀬康子は、介護福祉学は「高齢者や障害をもった人たちのいのちを守り、生きる力を強め、生活の質を高める」ことをめざし、「専門的な知識・技術を確立し、社会的評価」を高め、「介護福祉の実践的研究をとおして、介護福祉学独自の理論体系と技術体系を創造」するとしています。

介護福祉の実践は新たな領域であり、1987（昭和62）年の国家資格介護福祉士創設後、急速に広がりました。介護福祉の実践とは、高齢者や障害のある人たちが、障害があり日常生活を営むことに支障があっても、尊厳を保持し、その人らしい日常生活の営みがみずからできるよう、身近で継続的に支援する実践活動です。そしてその実践は、施設、在宅など地域社会に広がり、その重要性は社会的にも広く認識されるようになり、またその一方で、その実践の質が問われるようになりました。

日本のケアワーカー・介護福祉士は、日常生活の営みの生活支援に軸足を置き、その育成を高等教育で行っています。介護福祉の実践は、介護福祉の理念・価値・理論、専門的判断力、専門的技術に支えられた、新たな領域における実践であり、その実践的研究が求められます。年1回学会大会を開催し、年4回ニュースレターの発行、年1回公開講座開催、全国8地区で地区公開講座・研修会等の学会活動、各種委員会が行われています。また、韓国との国際交流も行われています。

第 3 章

介護福祉士の倫理

第 1 節　介護福祉士の倫理
第 2 節　日本介護福祉士会の倫理綱領

第1節 介護福祉士の倫理

学習のポイント
- 介護にたずさわる人がもつべき職業倫理を学ぶ
- 普遍的な倫理判断の視点を学び、それがさまざまな介護の場面でどういかせるかを考える

関連項目 ①『人間の理解』▶第1章第1節「人間の尊厳と人権・福祉理念」

1 介護実践における倫理

1 介護にたずさわる人がもつべき職業倫理

(1) 介護の倫理と生命倫理

倫理という言葉は、各職種の専門性を語るうえで必ず登場する言葉ですが、いったい「倫理」とはどういう意味なのでしょうか。

「倫理」とは、「何かを行うときに、どのようにしたらいいか」や戦略を考えたり、よりよい実践ができたかどうか検証したりする学問領域といえます。従来の「倫理（学）」が人生の意義や生き方を探求したのに対し、生命倫理（学）では「生きとし生けるものすべての生命を大切にし、互いに認め合い、共生するための方策」を探求し、実践し、検証する学問領域です。したがって、今日では、人間の生命や生活を直接扱う専門職では、生命倫理（学）の視点から職業倫理を考え、実践する傾向にあります。具体的に生命倫理（学）の視点から介護福祉士の活動を考えてみると、「介護福祉活動に関する専門知識や技術を、どのように用いると、利用者や家族、そしてすべての人々の命がいかされ、QOL（Quality of Life：生きがいある生活、生活の質）が維持され、私たち介護福祉職もやりがいを感じるのか」という問いに答えを求めて介

護実践することになるように思われます。

つまり、「介護の倫理」とは、「介護をどのように実践すると、介護を受ける人も提供する人も幸せで生きがいを感じ、ともに自身の生命をいかせるかを示し、実践に導いてくれる考え方（理論、学問、文言など）である」と定義されます。法律が「社会の秩序を守るための基準を定める」のに対し、（生命）倫理（介護の倫理）においては「実践の目標を理想的レベル」においているのが特徴です。

生命倫理（学）は、医の倫理や看護の倫理をはじめ、ほとんどの職業倫理（倫理綱領）の土台となっており、したがって介護福祉士の職業倫理も倫理綱領も、生命倫理学が土台となっていると考えられます。

介護現場における介護福祉士の実践には、「高い倫理性」が求められます。このことが何を意味するのかというと、介護の専門知識や技術そのものに専門性を求めるだけでなく、それらをどのように利用者に提供するかによって、その専門性が大きく変化するということです。よって、介護福祉士になるために、専門知識や技術を習得しただけでは、利用者や家族を満足させるのはむずかしいかもしれません。何よりも第1に、「どのように、利用者と向き合い、どのようなことに配慮して、専門知識や技術を利用者1人ひとりに提供するか」ということが、介護福祉士の職務の専門性といえます。よって、専門知識や技術を学ぶと同時に、「どのような姿勢で、何を大切に思い、どのような方法で専門知識や技術をいかすのか」について、しっかり学ぶ必要があります。「生命倫理学」をはじめ、「介護の倫理」や「職業倫理」、具体的には「倫理綱領」を学ぶのは、そのためです。これら「介護の倫理」を学び、専門知識や技術のいかし方を身につけることにより、高い倫理性をもった介護福祉活動ができるようになることが期待されます。専門知識や技術を倫理的配慮のもとに実践することにより、介護福祉士の専門性がさまざまな形で、社会から評価されるようになります。こうして、介護福祉士の専門性の構築が実現されるのです。

（2）「介護の倫理」にもとづく実践のポイント

それでは、介護現場において倫理的配慮とは何をどうすることなのでしょうか。どのようなことに配慮して行うことが「倫理的」であり、どのような場合に「非倫理的」となるのかを判断できることが、「倫理的配慮」の実践には欠かせない条件となります。この倫理的か、非倫理的

表3-1　普遍的生命倫理原則（ポイント）

原則1 自律尊重の原則	利用者の意向を最優先することを、何よりも重視する原則。利用者のニーズを大切に思い、利用者のプライバシーや尊厳の保持も含まれる。倫理的には、家族と利用者の優先順位が逆転したり同等に扱われることはない。しかし、唯一、利用者でなく専門職が優先される場合がある。それは、利用者の意向を実践することで、利用者自身の生命の危機やいちじるしいQOLの低下が予測される場合である。
原則2 善行の原則	利用者にとって、最良の結果がえられること（方法など）を、優先する原則。どのような結果が利用者にとって最良となるか、さまざまな要因がからみ、利用者の立場からみた最良の結果が目標となるよう、利用者の意向や個人因子（価値観・人生観）、環境因子に配慮する。
原則3 悪不履行（無害性）の原則	原則1、2で計画した実践の過程で、利用者に不都合（危害、損害、苦痛など）が生ずることが予測される場合には、できるだけ回避することを求める原則。介護者や専門職の予測する力（知識や経験など）が不足する場合には、事前に不都合を回避することができず、利用者に迷惑をかけてしまう。もし、事前に検討しても、予測される不都合の回避がむずかしい場合は、原則1と2で計画した実践は非倫理的と解釈され、実施はむずかしい。
原則4 正義・公平の原則	利用者に対して、介護者や専門職従事者が正しいこと（憲法、法律、学問、専門技術、先輩らの教訓、地域の文化など）を分け隔てなく、だれにでもいつでもどこでも提供するため、法の遵守や人権そして価値観などに配慮した実践をうながす原則。

かを判断するには、何を基準に考え、判断したらよいのでしょうか。倫理判断の基準の1つとして、公益社団法人日本介護福祉士会では日本介護福祉士会倫理綱領を定め、社会に向けて宣言しています。介護福祉士の職能団体である日本介護福祉士会は、すべての介護福祉士に倫理的行為の実践を具体的に理解し、実践してもらうためにこの日本介護福祉士会倫理綱領を規定しています。したがって、倫理綱領に書かれたことを実践すればよいことになりますが、「一体どうすることが『倫理綱領

> **表3-2 倫理判断の規則**
>
> **倫理判断の規則**
> 4つの普遍的生命倫理原則のうち、
> 　　3つ以上守られている場合は『倫理的』と判断
> 　　2つ以上守られていない場合は『非倫理的』と判断

> **表3-3 倫理的調整（決着）に向けた基本的ポイント**
>
> | 調整のポイント① | 迷惑を被る人数をできるだけ少なくするよう調整する。 |
> |---|---|
> | 調整のポイント② | 利用者の被る迷惑（不都合・危害など）の量をできるだけ少なくするよう調整する。 |

を守ることになるのか」という問題にぶつかります。

　そこで、ここでは以下に、倫理的行為、すなわち倫理綱領に示される倫理規程のよりどころとされる『普遍的生命倫理原則』を示します。これらの原則は1960年代後半にアメリカで台頭した「生命倫理学」の枠組みのなかで示されるもので、倫理判断の基本となる視点です。医の倫理綱領、看護者の倫理綱領、日本社会福祉士会の倫理綱領をはじめ、世界中の倫理綱領のほぼすべてが、これらの原則を土台に制定されています。よって、日々の介護福祉活動のなかで、倫理判断が必要な際には、介護福祉士についても、『普遍的生命倫理原則』を倫理判断にいかせるよう、これら原則の意味だけでなく、できれば倫理判断に向けた使い方も学習することを期待します。

　これら原則を用いて「倫理判断」を行う場合には、次のような『倫理判断の規則』に従い判断することになります。

　表3-1で示されている4つの『普遍的生命倫理原則』のうち、3つ以上守られている場合に「倫理的な介護実践」となると判断されます。4つの原則すべてが整うことよりも、「倫理的」とされる実践内容が、何をめざしているのか理解できることが大切です。

　もし、4つの原則のうち2つ以上守られない場合には「非倫理的」と判断されます（表3-2倫理判断の規則）。非倫理的と判断された場合

> **表3-4** 尊厳ある介護実践に向け具体的に配慮すべきポイント
>
> ① 当事者の意向を尊重する
> ② 元気な頃にもっていたすべての権利をうばわない
> ③ 当事者が自己決定・自己選択しやすい環境を整える
> ④ 当事者が周囲（家族・介護福祉職を含む）に気兼ねせず、自己表現できる（自分らしくふるまえる）環境を整える

には、「倫理的調整（決着）に向けた基本的ポイント」（表3-3）に従い、倫理的調整を行い、できるだけ「倫理的」となるよう工夫します。

2　「介護の倫理」の実践と「尊厳ある介護実践」

　「介護の倫理」の実践の目的は、介護福祉士として学んだ専門的知識や技術を、利用者や家族、そして地域社会のために、よりよくいかすことにあり、そのいかし方（姿勢や方針）を習得することです。日本介護福祉士会倫理綱領などにも、わかりやすい言葉で示されています。

　他方、「尊厳ある介護実践」については、ICF（International Classification of Functioning, Disability and Health：国際生活機能分類）の理念や、日本国憲法をはじめ、憲章や人権擁護に関する法規などに**尊厳の保持**などの表現で示されています。

　尊厳とは、「すべての人間が生まれながらにして平等に与えられている価値で、誰もおかすことのできない"人間として生きるためのすべての権利"」というように解釈され、普遍的生命倫理原則では**「自律尊重の原則」**に含まれるものです。具体的には、**表3-4**のような点に配慮した介護実践が求められます。

　「尊厳に配慮」することは「介護の倫理」の実践につながりますが、まったく同義ではありません。「介護の倫理」の実践は、普遍的生命倫理原則の「自律尊重の原則」のみならず、その他のすべての視点に配慮することが求められるからです。尊厳に配慮しても、倫理的な配慮が十分でないケースが認められます。たとえば、ある利用者の嗜好や習慣に配慮する結果として、ほかの利用者に迷惑がかかってしまうようなケースです。このようなケースでは、倫理判断の結果に照らして倫理的調整を行うことになります。したがって、介護の現場で「尊厳ある介護実

践」を行うには、尊厳を理解するだけでは十分ではなく、やはり「倫理判断の手順（方法）」を理解して実践にいかせることが必要となります。

介護の現場で頻繁に生ずる問題について、以下の事例を通して、倫理的な視点から考えてみましょう。

（1）ケース1

> 利用者Fさん（76歳、男性）要介護3
> Fさんは、毎日気に入らないことや思うようにならないとき、暴れてしまい、同室の3人の利用者に迷惑をかけてしまう。担当職員は、ほかの利用者の迷惑にならないよう、Fさんを個室に移動させた。

まず、このようなケースにおいて、どのような倫理的課題があるのか解釈し、判断することが必要です。

1 判断の手順

表3-1の4つの「普遍的生命倫理原則」を用いて検証を試みます。

まず、本人の希望で個室に移動した訳ではないので、原則1を満たしていないことになります。原則2と原則3については、どのような結果を予測するかにより判断は変わりますが、個室に移動することにより、他者が楽になる場合には「よい結果がえられた」と、同室だった利用者の立場からは評価されると思います。しかし、個室に移動させられたFさんにとっては、状況が少し異なるように思われます。もし、Fさんが孤独だと感じたり、嫌だと感じてQOLが下がったりする場合には、尊厳は保持されず、個室への移動で生ずる"Fさんにとって不都合な状況"は回避されなかったと判断されるため、「悪不履行（無害性）の原則」にふれることが指摘されます。

さらに、原則4では法律や人権擁護の観点から、暴れる人の人権と危害を被る人の人権が平等に扱われないことが指摘されます。結果として「倫理的介護実践の視点」の検証からは、"非倫理的行為"と判断されます。

2 解決の手順

"非倫理的"とされた行為を"倫理的行為"に調整するには、表3-3の調整のポイントを用います。ケース1では、個室に移動させられるのは1人なのに対して、危害から守られる人数は3人です。したがって、利

益を受ける人数が多いほうを倫理的には支持することになるので、個室への移動という行為自体は"倫理的"と判断されます。しかし、個室に移動させられる人の意向を十分にくまなかったことが"非倫理的"となるので、この部分に対して対応を再検討すると同時に、できるだけ個室に移動することで生じる弊害が最小になるよう工夫することが求められます。

よって、個室に移動させられる人に対する倫理的配慮を条件に、個室に移動することもやむをえないという結論が、倫理的調整の視点から導き出されます。しかし、倫理的決着は複数存在しますので、絶対的な結論はむずかしいといえます。本ケースも条件つきで倫理的許容範囲に含まれる解釈が可能となるということにすぎません。おそらく法的にも複数の解釈が成り立つと思われます。

(2) ケース2

> Sさん（69歳、女性）要介護2
> ほとんどの利用者が寝静まったころ、Sさんの徘徊が始まる。ドアを開けたり閉めたりする音や、つぶやく声などで、同室の利用者は目を覚ましてしまう。また、Sさんは、ベッドから降りようとして転倒することもある。担当者は徘徊を防ぐため、Sさんのベッドの四方に柵を立て、夜間は降りられないようにした。

1 判断の手順

ケース1と同様に、「普遍的生命倫理原則」に従い、倫理判断を行います。

原則1と原則4には反することになりますが、原則2と原則3については、Sさんの立場とほかの利用者の立場とで解釈が異なります。Sさんにとっては、ベッドから降りられず、徘徊もできず、尊厳や自由をうばわれたことに対して怒りが爆発する可能性があり、原則2と原則3は守られていないといえます。他方、ほかの利用者の立場や介護者からみた場合には、Sさんの転倒や徘徊もなくなり、よい結果がえられると考えられるため、原則2は守られるといえます。しかし、原則3では、原則1と2を実践することでSさんに生ずる不都合（ここでは、Sさんの怒りが爆発すること）を避けることが求められますので、Sさんの怒りが爆発しないような対応ができなければ、原則3を破る結果となり、反

対に対応が可能な場合は原則3は守られるといえます。

したがって、Sさんの立場からみた場合には、本ケースは"非倫理的"な行為となります。また、ほかの利用者（周囲の利用者）からみた場合も、原則1と4は満たされませんので、原則3が守られない場合には"非倫理的"と判断されます。しかし、原則3が守られ、Sさんの怒りの爆発がおさえられる対応ができる場合には、守られる原則2つと守られない原則2つとなり"倫理的ジレンマ"と呼ばれる判断になります。この場合は、調整のポイントに従い、満たされていない原則に対して、倫理的解決を試みることになります。

2 解決の手順

倫理的に満たされていない原則2と原則3について調整を試みることになります。まず、利用者の意向を確認し、家族の意向を参考にしながら、できるだけ徘徊を防ぐ手だてを工夫することになりますが、柵などの威圧的なものではなく、利用者や家族の自尊心を傷つけない手段が必要と思われます。

不都合や不利益を被る量を少なくする意味からも、一時的に徘徊につきあうなどして、利用者のプライドを傷つけない配慮が必要となります。本ケースは、これらの倫理的調整がなされない限り、すべての視点を満たさないことから、利用者に対して"非倫理的介護"を実践しているというように判断される可能性が指摘されます。

（3）ケース3

> Yさん（82歳、男性）要介護3
> 施設に入所して間もないYさんは、食欲はあるが服薬が苦手で「要らない」と拒否することが多い。工夫して飲んでもらおうと努めるが、何度もすすめると怒ってしまう。担当職員はYさんに「お薬を飲まないなら、お昼のご飯はあげませんからね」というと、Yさんは布団をかぶって寝てしまった。

1 判断の手順

ケース1・2と同様に、4つの「普遍的生命倫理原則」を用いて倫理判断を試みる場合、まず利用者の立場で判断すると、原則1および原則4を満たしていません。食欲のあるYさんに食事を与えないということは、Yさんの意向を優先しないばかりでなく、法的にみても生存権にふ

れる違法行為にあたると考えられます。ほかの人が食事をするのに平等に扱ってもらえず、おなかが空いているのに自分は見ているだけの状況は、拷問に近い扱いと解釈されます。また、罰を与えたからといって薬を飲むようになるとは限らず、悪い結果だけが生ずる可能性も否定できません。罰を与えることは原則4にふれるので、むしろ服薬を拒否した場合に生ずるYさんの不都合に対して、原則3を破らないように対応することが考えられます。現状では、原則2と原則3、原則4のいずれも満たしていないことが指摘されるので、本ケースの行為は、明らかに"非倫理的行為"と判断されます。

2 解決の手順

まず、Yさんの意向がかなえられるよう、服薬を拒否する理由をいっしょに考え、解決策を見つける努力が必要です。服薬を拒否する場合、何らかの副作用のあることを説明できずに拒否だけする人もいるので、拒否の理由を理解したうえで、対応する必要があります。

また、できるだけ悪い結果を避けるには、薬を飲ませるようにするだけでなく、薬を飲まないときに生ずるYさんの不都合な状態を回避する努力をして、原則3を破らないよう工夫することが、倫理的実践に近づけるように思われます。空腹を我慢させて自尊心を傷つけたりせず、体調や心理状態が安定するような支援が倫理的であるといえます。薬の飲み方や言葉かけによる支援、あるいは気の合う利用者といっしょに服薬を行うなど、服薬を支援する環境づくりも必要でしょう。

つまり、倫理的には、原則1、原則2そして原則3の調整が必要であると考えます。

3 プライバシーの保護と介護の倫理

生命倫理学的には、プライバシーの保護は、原則1の自律尊重の原則から派生したもので、利用者自身の個人情報にかかわる事象が他者に暴露されることなく守られる場合、"プライバシーの保護"が成立しているといえます。

しかし、何もかもすべての個人情報を保護することを意味するわけではないことを、理解することが職業倫理上大切です。誤解されやすい点なので十分注意が必要といえます。たとえば、本人の経歴を周囲に知っていてもらったほうが、利用者にとって人間関係がスムーズにいく場合

があります。元○○であったことは、プライバシーに関する情報です。しかし、離婚や失職の理由が関係者間に必要な情報として伝えられていなかったために、利用者の意向が「わがまま」に思われたり、自分勝手なつくり話（嘘）のように解釈されたりして、利用者に恥をかかせたり、がっかりさせてしまう場合には、「プライバシーの保護」の本当の意義は失われてしまうといえます。「プライバシーの保護」の視点が重視されるのは、個人情報を保護することによって、利用者に有益な結果をもたらすことが明確である場合です。

　どのような個人情報を保護することが利用者にとって有益となるのか、関係者間で十分話し合うことが大切です。管理責任を追及されることを恐れて、過剰な管理をする場合には、逆に善行の原則や悪不履行（無害性）の原則などにふれることになり、非倫理的行為となりかねません。プライバシーを保護する目的を十分に理解して、1人ひとりの利用者にとって"よりよい生活環境"が保証されることを心がけることが大切です。

4 高齢者虐待と生命倫理（介護の倫理）

　介護の現場で介護福祉士が対応する利用者のほとんどが高齢者です。しかし、家族や利用者を取り巻く周囲の人々は高齢者ばかりではなく、さまざまな年齢層や職種や性格の人々とかかわります。高齢者に対する虐待では、利用者（高齢者）の周囲の人々が加害者であることが多く、身辺の世話をしている人であることがほとんどです。

　高齢者虐待の防止、高齢者の養護者に対する支援等に関する法律（高齢者虐待防止法）が2005（平成17）年に成立し、2006（平成18）年4月から実施されていますが、効果が上がっているとは言いがたい状況といえます。理由の1つに、被害者となる高齢者は加害者である人にお世話を受けなければ生きていけないという根本的課題があり、弱者的立場にあることが指摘されます。また、加害者である近親者（夫／妻、息子／娘、嫁、兄弟姉妹ほか）は、他人に相談しても理解してもらえない苦しみや援助がえられない事情などから、解決不能と思いこむことが多く、虐待の事実を隠すためにいっそう虐待がひどくなる傾向にあります。このような状況に対して、介護福祉士として「倫理的」に対応するには、前述の普遍的生命倫理の4原則にもとづき、以下に記す内容に配慮して

介護福祉活動を試みることが、課題解決に向けた方法の1つであると考えます。

（1）原則1：「自律尊重の原則」に配慮した倫理的対応の試み

　日本介護福祉士会倫理綱領（以下、倫理綱領）では、まず利用者の意向やニーズが最優先されますが、介護現場では、とくに家族が介護者である場合には、介護者が「主役」であることが多く、この関係性に着目することが大切です。自分の身辺整理も困難になってしまった高齢の利用者の人間的価値を人権擁護の視点から理解して介護できる家族は、どのくらいいるでしょうか。これは介護福祉職でもむずかしいことです。この逆転している関係性を是正しようとして、失敗してしまうことも多いのです。高齢者虐待の可能性がある場合には、できるだけ介護者（加害者）の立場も受容し、うもれてしまった介護者のニーズや意向を、利用者の意向に加えてくみとり、無視しないよう努めることが必要です。介護を放棄した人は高齢者虐待の加害者にはけっしてなることはなく、介護を一生懸命しようとした人が加害者になってしまうことが多いことを理解する必要があります。

　この点を生命倫理の視点から考える場合には、まず第1に、弱い立場にある要介護者のニーズや要求、意向を適切に把握し、虐待の原因との関係性を考慮して、介護者のニーズと向き合うことが大切になります。

（2）原則2：「善行の原則」に配慮した倫理的対応の試み

　高齢者虐待の事実と向き合うとき、介護福祉職として求める「最良の結果」とは、どのような状態を想定するかがポイントとなります。高齢者虐待の原因は、利用者自身の「存在」にあることが多く、加害者が介護実践を続ける限り、虐待が行われる可能性があります。人間の習性とでもいうか、いったん虐待して介護者の意向がかなえられると、効果が上がった体験として学習されます。「言うことを聞いてもらうため」「このようにしなければ、利用者の状態が悪くなるから……」といった理由を正当化し、虐待してしまう例もあるようです。加害者からみた「最良の結果」とは「利用者を自分の思うとおりにすることで、よい状態を保つ」ということになります。

　他方、被害者である利用者からみた「最良の結果」とは「虐待が最小

限で済んで、1日を無事過ごせること」ということになり、虐待の事実を訴えるよりは我慢することを選択する結果となりがちです。そして、我慢できない状況になって、やっと表面化するのですが、それも加害者の意向や介護福祉職の対応の不手際から、被害者である利用者の声は消され、生活も生命も虐待でうばわれてしまう結果となる場合があります。したがって、介護福祉士は常に、介護者と利用者それぞれの「最良の結果」の求め方が適切か否かを観察することが大切であり、よりよい方向に指導していくことが求められます。

介護福祉士が虐待に接したときに求める「最良の結果」は、高齢者から虐待を遠ざけることが最優先されます。具体的には、まず加害者と被害者を引き離すため、緊急に施設入所等に導くことなども考えます。加害者のプライドを傷つけないような状況設定を工夫し、加害者が被害者を手元から手放すこと（一時的な施設入所）に同意してもらうことです。たとえば、レスパイトケアの制度を利用している家族との接触の機会を設けたり、こうならないためには……など事例を示しながら情報を提供するなど、加害者の立場も配慮したうえで心理的ケアを試みることが大切です。「仲よくいっしょに」生活を再開するまでには、かなりの時間を要することが、国内外の文献等で指摘されていますので、「最良の結果」を「仲よく暮らすこと」と考えるのは、すぐにはむずかしいように思われます。

（3）原則3：「悪不履行（無害性）の原則」に配慮した倫理的対応の試み

虐待によって生ずることが予測される悪い影響をすべて想定し、それらを避けることが介護福祉士（介護福祉職）に求められます。何よりも心配なことは、介護者（加害者）が「虐待を第三者に気づかれた」ことを知ったときに生ずる「利用者（被害者）への影響」です。

虐待の有無は、訪問介護（ホームヘルプサービス）や検診時、あるいは通所介護（デイサービス）等で気づくことが可能です。気づく可能性のあるスタッフと連携して、これらが加害者に知られないよう配慮することが必要です。加害者にとっては知られたくない情報が漏れてしまう訳ですから、これ以上知られないようにするため、加害者は被害者をいっそう悲惨な状況に追いつめる可能性が示唆されます。悪い影響を利用者に与えないためには、加害者を追いつめないことも大切です。加害

者の心とプライドを損ねないように対応することは介護福祉士（専門職）に必要な配慮といえるでしょう。もちろん同時に、被害者（利用者）を緊急に保護する工夫が必要となります。

（4）原則4：「正義・公平の原則」に配慮した倫理的対応の試み

「正義」には法律や専門知識・技術等が関係しますが、法的には高齢者虐待防止法が制定されています。「公平」についても前述の（1）～（3）で、利用者と介護者の関係性についてふれたとおり、利用者最優先の介護現場の倫理的な人間関係とは異なる見方が必要であるように思われます。高齢者虐待について正義性や公平性の視点からみた場合には、何よりもまず法的な対応の必要性が倫理上指摘されます。これら介護福祉活動に関係する法的な対応を、普遍的生命倫理原則に従い、倫理的に実践することが大切であると考えます。おそらく、法的な対応は、法律の専門家や関係諸機関などとの連携となるので、介護関連各施設の管理職を中核に協力体制を組み、被害者（利用者）の尊厳を保持し、加害者の思いを受けとめ、互いに進むべき道を模索することになります。その際、前述の倫理的対応（1）（2）（3）が少しでも参考になれば幸いです。

2 倫理的対応が必要な事例

1 人生の最終段階の場面に対する介護福祉士の対応

私たちの介護福祉の現場では、人間の自然な摂理として、生から死へと人生の幕を閉じていく時間に遭遇することがあります。人生の最期まで本人らしく生きてもらうための支援における倫理的判断にはどのようなことがあるでしょうか。

> **事例**
>
> **Aさん、女性、40歳代**
> 症状：末期のスキルス性胃がん
> 経過：健康診断で要検査といわれ、大きな病院を受診して精密検査を受けた。受診後、胃がんのステージⅣと診断され、これからの治療方法として症状の緩和を中心的に説明された。事実として、治る見込みが厳しい現実を説明された。しかし、Aさんは、「病気が治る治療をしたい」と希望した。「現在、口からの食事もとれているし、からだもふつうに動く。なぜ、がんの治療をしないのか」という主訴である。変わらずAさんは、まだ食べられる状態であるうえ、回復に向けて取り組みたい意思である。

介護福祉士としての対応

　まずは、まだ40歳代と若いAさんの気持ちを受容し、Aさんの意思に寄り添えるような支援をすることが大切です。治療や介護にかかわるすべての専門職との話し合いや情報の共有も重要です。人生の最期の瞬間まで、Aさんにとって納得のいく時間がもてるよう、できる限りの工夫をすることが重要だと考えます。本人の体調と思い、または家族の思いなどさまざまな要素が複雑にかかわるなかで判断していくむずかしさはありますが、利用者の気持ちを尊重する支援をすることが専門職としての仕事といえます。病気の進行にともなって変化するであろうAさんの気持ちに寄り添いつづけ、その時々の状況とケアの方針を多職種で共有しながら支援を行っていくことが大切です。また、本人が判断できなくなることが予想される場合は、だれが代理判断者になるのか、事前に情報収集をしておくことも必要です。

2　身体拘束の場面に対する介護福祉士の対応

　生活支援技術を提供する場面は、利用者と直接ふれ合う対人援助が基本となります。人と人がふれ合う支援のなかでは、職員の意識の統一が必要な場面があります。

第3章　介護福祉士の倫理

第1節　介護福祉士の倫理

> **事例**
>
> **Bさん、女性、80歳代、軽度の認知症**
> 状況：Bさんが夜間、数回起きてくるので、起きるごとに職員も対応していたが、離床センサーマットを使用することになった。職員は離床センサーマットのコールが鳴るたびに訪室し、Bさんに「危ないから、出ないで、起きないで」と言った。

介護福祉士としての対応

　これは、個別性に配慮したケアと尊厳に配慮したケア、そして行動制限の抑止にかかわる事例です。個別ケアとしてBさんに支援していますが、尊厳には配慮されているでしょうか。離床センサーマットを使用する目的は何なのか、使い方について意識が統一されていなければ、利用者にとって不利益をもたらす結果につながる可能性もあります。安易な考えで設置するのは禁物です。

　また、訪室時に言葉かけした内容も適切でしょうか。この場面での「出ないで、起きないで」の言葉かけは、言葉の行動制限にあたります。

　身体拘束に関して、介護保険制度施行後、厚生労働省より**「身体拘束ゼロへの手引き」**❶が配布されました。そのなかでは、身体をひもなどでしばることや身体を固定すること、隔離など、具体的な行為が身体拘束として定義されました。さらには、高齢者虐待について、2006（平成18）年施行の介護保険法の改正において、第1条の目的規定で「尊厳の保持」が明確になっており、介護保険指定基準の**身体拘束禁止**規定では、「サービスの提供に当たっては、当該入所者（利用者）又は他の入所者（利用者）等の生命又は身体を保護するため緊急やむを得ない場合を除き、身体的拘束その他入所者（利用者）の行動を制限する行為を行ってはならない」と規定されています。また、現実的に高齢者虐待が課題となっていることから、2005（平成17）年には**高齢者虐待の防止、高齢者の養護者に対する支援等に関する法律**（高齢者虐待防止法）が成立し、2006（平成18）年から施行されています。

　このように、目に見える身体拘束については法制度面の対応が進んでいますが、目に見えにくい言葉による行動制限に関しては、現場の対応にゆだねられているのが現実です。尊厳の保持を基本理念とする介護福祉士は、ふだんのケアにおけるみずからの言動が基本理念にもとづくも

❶「身体拘束ゼロへの手引き」
p.45参照

3 認知症ケアでの場面に対する介護福祉士の対応

人は高齢になると認知機能が低下し、これまでの生活を続けることがむずかしくなることがあります。認知症があっても、その人らしく生活をする権利があります。介護福祉士として、どのような対応が望まれるでしょうか。

> **事例**
>
> Cさん、男性、80歳代、認知症高齢者の日常生活自立度Ⅲb
> トイレに誘導をしたが、トイレにおいて尿失禁があり、パンツ型おむつを交換した。交換する際にトイレの扉は開けたままであった。

介護福祉士としての対応

認知症があるという先入観から、本人はわからない、はずかしくないなどと思っているかもしれません。トイレのドアを開けたままで支援される気持ちを想像してみてください。1人の人間として対応できていたのか、本人の希望する支援方法であったのだろうかと。

また、尿失禁してしまったはずかしい場面を周囲から見られている状況が、尊厳に配慮されていません。排泄介護で清潔を保つことは必要なことですが、プライバシーはきちんと守られているでしょうか。

たとえば、排泄の場面でトイレ誘導時に人前でおむつを交換する、トイレを使用する場合にドアを閉めずに排泄をうながすといった行為は、たとえ相手が重度の認知症高齢者であっても絶対に避けるべきです。仮に、ケアを受けるのが自分だったらどう思うでしょうか。「尊厳を支える介護」という理念に立ち、排泄というデリケートな行為の支援を行いましょう。

また、おむつ着用自体も本当に必要なのかを検討することも重要です。安易に着用をうながすような支援は禁物です。認知症になると、自分のことを自分で決められなくなったり、できなくなったりと判断がむずかしくなる場合もあります。その場合、だれが代理判断者となるの

か、関係職種とともに十分にアセスメントを行う必要があります。

4 自立支援の場面に対する介護福祉士の対応

　介護保険制度においては自立支援が重視されており、介護サービスを提供するうえで高齢者の自立を支援することを理念としています。生活を支援することだけに目がいってしまい、利用者のできるところに気づけていないことから、本人のやる気や自信を低下させることも考えられます。

> **事例**
>
> Dさん、男性、60歳代、要介護2、障害高齢者の日常生活自立度（寝たきり度）B−1
> 　短い距離であれば歩行可能なDさんに対して、介護福祉職が車いすで移動したほうがよいだろうと考え、施設内をすべて車いすで誘導している。

介護福祉士としての対応

　移動支援については、ついつい安全確保を優先してしまいがちです。本人や家族の意向を尊重して支援を行っていくことは大切ですが、すべてを支援してしまうことはADLやQOLの低下に結びつきます。本人にとって最良の結果だったのか、よくない結果だったのか、常に状況を把握し、確認することが大切です。

　Dさんは短距離歩行が可能であれば、歩行器やウォーカーケインなどの歩行のための道具を使用することやいすに座り食事をとるなど、現在できていることを自分の力でやってもらうことが大切です。身体的自立や精神的自立、社会的自立という側面も確認しましょう。

　自立とは「自分で決める」ことが重要であり、それが本人の尊厳を守ることにつながります。失敗を恐れて先回りしたり、病名や身体レベルで、その人のできること、できないことを決めつけてしまわないよう配慮することが、介護福祉士として大切です。

5 プライバシー保護の場面に対する介護福祉士の対応

　介護現場では利用者や家族に接するなかで、知りえる情報も多く存在します。介護職は、利用者1人ひとりに合った適切な生活支援を実践するために、利用者の秘密にふれる機会が多く存在します。

> **事例**
>
> 　Eさんといっしょに撮った写真の笑顔がすばらしかったので、本人の同意なくソーシャルメディア（SNS）に投稿した。

介護福祉士としての対応

　介護職は業務上知りえた守秘義務のある情報を、正当な理由なく、ソーシャルメディア（Facebook、LINE、Twitter、ブログおよび動画共有サイト等）に投稿したり、口外してはいけません。個人情報には、氏名や生年月日、画像や音声なども含まれます。ソーシャルメディア（SNS等）にEさんの写真を投稿することは、オーバーにいえば全世界の見知らぬ人々にEさんの個人情報を配布するようなものです。本人を尊重するケアとはいえません。

　現在、介護現場ではICT（情報通信技術）の普及により、さまざまなソーシャルメディアがあり、それらを適切に利用するために正しい知識が大切です。利用者のプライバシーの保護には、厳重に注意する必要があるといえます。

◆ 参考文献
- 中村裕子「要介護者の尊厳を支えるコミュニケーションの意義と実践の在り方——"人間の尊厳"の倫理的解釈に基づく介護実践の検討」『介護福祉』第103号、2016年
- 長友敬一『現代の倫理的問題』ナカニシヤ出版、2010年
- 箕岡真子・稲葉一人編著『ケースから学ぶ 高齢者ケアにおける介護倫理』医歯薬出版、2019年
- A.J.デーヴィス・V.チューディンほか編、小西恵美子監訳、和泉成子・江藤裕之訳『看護倫理を教える・学ぶ——倫理教育の視点と方法』日本看護協会出版会、2008年

第 2 節

日本介護福祉士会の倫理綱領

学習のポイント
- 日本介護福祉士会の倫理綱領と行動規範を例に、介護福祉の専門性と倫理を理解する
- 介護福祉士に求められる専門職としての態度を形成する

1 介護福祉士に求められる職業倫理

　専門職能団体の重要な役割として、職業倫理を定め、その資格をもっている人たちの専門職としての正しい方向性や姿を示しています。専門職は、一般の人がもっていない知識や技術をもっています。その知識や技術は、支援が必要な人々のために役立てなければなりません。しかし、その知識や技術を乱用したり悪用するなど、その使い方を間違えれば、人々を支えるどころか、危険にさらしたり不幸にしてしまいます。

　介護福祉士の仕事は、介護を必要とする人の生活そのものにかかわるものです。その人の望む暮らしの実現をめざし、尊厳を保持しながら自立した生活に向けた支援を行います。病気や障害で介護が必要な人、認知症の人、高齢者など、社会的に支えが必要な人と接する専門職として、その心構えや求められる役割をしっかりと理解し、自分たちの専門性を正しく使うことが求められます。その基本となるルールのようなもの、それが職業倫理です。おもな職業倫理について、みていきましょう。

1 法令遵守

　介護の仕事にたずさわるなかには、さまざまなルールというものが存在します。
　その1つが、国が定める法律です。法律は、日本国憲法をもとに国民

の権利を守り、義務を果たすためのルールです。介護福祉に関係する法律としては、社会福祉法や介護保険法、障害者総合支援法、高齢者虐待防止法や個人情報保護法など、さまざまな法律が存在します。介護福祉にかかわる専門職として、その内容を理解したうえで、介護サービスを提供します。

そのほかに、所属する施設や事業所ごとにも、ルールは存在します。利用者の生命や財産、これまでの生活などを守るために、提供するサービス内容を約束したケアプランや個別援助計画を提案し、計画に沿った介護が提供されます。それから、働く職員の生活を守るために、就業規則やサービス提供のあり方を示した事業所の理念や行動規範などが存在します。

なぜそのようなルールがあるのか、守らなければどうなるかなどについて、定期的な理解の場の設置やルール自体の見直しなどが必要であることも忘れてはなりません。

2 身体拘束禁止

身体拘束は、医療・介護現場等で安全を確保する観点から「やむを得ないもの」として行われてきた経緯があります。高齢者ケアのなかでも、転倒・転落防止などを理由に行われてきました。

医療・介護にかかわるスタッフは、身体拘束の弊害を意識しながらもなかなか廃止できないジレンマをかかえ、「緊急やむを得ない場合」として行ってきました。

2001（平成13）年3月、厚生労働省「身体拘束ゼロ作戦推進会議」は、「身体拘束ゼロへの手引き——高齢者ケアに関わるすべての人に」を作成しました。

そのなかで、身体拘束がもたらす多くの弊害や、身体拘束による悪循環を示しています。また、身体拘束禁止の対象となる具体的な行為として表3－5のとおり11項目をあげています。

介護保険指定基準の身体拘束禁止規定では、「サービスの提供に当たっては、当該入所者（利用者）又は他の入所者（利用者）等の生命又は身体を保護するため緊急やむを得ない場合を除き、身体的拘束その他入所者（利用者）の行動を制限する行為を行ってはならない」とあり、安易に「緊急やむを得ない」ものとして身体拘束を行うことのないよ

> **表3-5** 身体拘束の具体的な11の行為

■身体拘束禁止の対象となる具体的な行為

　介護保険指定基準において禁止の対象となっている行為は、「身体的拘束その他入所者（利用者）の行動を制限する行為」である。具体的には、次の行為があげられる。

① 徘徊しないように、車いすやいす、ベッドに体幹や四肢をひも等で縛る。
② 転落しないように、ベッドに体幹や四肢をひも等で縛る。
③ 自分で降りられないように、ベッドを柵（サイドレール）で囲む。
④ 点滴・経管栄養等のチューブを抜かないように、四肢をひも等で縛る。
⑤ 点滴・経管栄養等のチューブを抜かないように、または皮膚をかきむしらないように、手指の機能を制限するミトン型の手袋等をつける。
⑥ 車いすやいすからずり落ちたり、立ち上がったりしないように、Y字型拘束帯や腰ベルト、車いすテーブルをつける。
⑦ 立ち上がる能力のある人の立ち上がりを妨げるようないすを使用する。
⑧ 脱衣やおむつはずしを制限するために、介護衣（つなぎ服）を着せる。
⑨ 他人への迷惑行為を防ぐために、ベッドなどに体幹や四肢をひも等で縛る。
⑩ 行動を落ち着かせるために、向精神薬を過剰に服用させる。
⑪ 自分の意思で開けることのできない居室等に隔離する。

う、**切迫性**、**一時性**、**非代替性**の3つの要件を満たし、かつ、それらの要件の確認等の手続きがきわめて慎重に実施されているケースに限り、身体拘束が認められています。

3　虐待防止

　高齢者や障害者に対する虐待を、養護者（養介護施設従事者等以外のもの）による虐待と養介護施設従事者等による虐待等に分けてとらえ、虐待の行為としては、①身体的虐待、②性的虐待、③心理的虐待、④介護・世話の放棄、放任、放置（ネグレクト）、⑤経済的虐待とされています。

　また、保健・医療・福祉関係者は、虐待を発見しやすい立場にあることを自覚し、虐待の早期発見に努めなければなりません。虐待を受けたと思われる高齢者や障害者を見かけたときは、自治体等への通報が義務づけられています。

4 プライバシーの保護

　利用者の尊厳を保持するという意味からも、プライバシーの保護という観点はとても大切です。人の生活にかかわるということは、プライバシーまでもおかしかねないという意味をもちます。

　具体的には入浴介助や排泄介助の場面、その他さまざまな個人情報のなかにも、おかしてはならないプライバシーが存在します。利用者本人との関係性でおかしてはならないプライバシーもありますが、利用者の支援者としての立場から、守らなければならないプライバシーも存在します。

5 社会福祉士及び介護福祉士法における介護福祉士の義務規定

　社会福祉士及び介護福祉士法における介護福祉士の義務規定には以下の内容が示されています。

誠実義務
　その担当する者が個人の尊厳を保持し、自立した日常生活を営むことができるよう、常にその者の立場に立って、誠実にその業務を行わなければならない。

信用失墜行為の禁止
　介護福祉士の信用を傷つけるような行為をしてはならない。

秘密保持義務
　正当な理由がなく、その業務に関して知りえた人の秘密を漏らしてはならない。介護福祉士でなくなった後においても、同様とする。

連携
　その業務を行うにあたっては、その担当する者に、認知症であること等の心身の状況その他の状況に応じて、福祉サービス等が総合的かつ適切に提供されるよう、福祉サービス関係者等との連携を保たなければならない。

資質向上の責務
　介護を取り巻く環境の変化による業務内容の変化に適応するため、介護等に関する知識及び技能の向上に努めなければならない。

名称の使用制限

介護福祉士でない者は、介護福祉士という名称を使用してはならない。

2007（平成19）年の社会福祉士及び介護福祉士法の改正により「誠実義務」と「資質向上の責務」が追加されました。

2 日本介護福祉士会倫理綱領

介護福祉士の職業倫理には、日本介護福祉士会が1995（平成7）年に宣言した**日本介護福祉士会倫理綱領**（表3－6）というものがあり、介護福祉士のみならず、介護福祉職全般に共通する倫理が示されています。また、その倫理綱領を具体的にどのように実践するかを定めた**倫理基準（行動規範）**（表3－7）も示されており、介護の専門職の基本となる考え方や姿勢、態度、責任などが記されています。

1 利用者本位、自立支援

> **倫理綱領**
>
> **（利用者本位、自立支援）**
> 1　介護福祉士は、すべての人々の基本的人権を擁護し、一人ひとりの住民が心豊かな暮らしと老後が送れるよう利用者本位の立場から自己決定を最大限尊重し、自立に向けた介護福祉サービスを提供していきます。

介護サービスにおいて、その主体は利用者です。つまり**利用者本位**ということは、利用者自身がみずからの意思や選択で望む暮らしの実現をめざすことができるよう、必要な支援を介護福祉士が行わなければなりません。たとえ、認知症や寝たきりであっても、自分らしく生きる権利があります。その権利を最大限に保ち、介護する側の押しつけや一方的な支援にならないよう、常に利用者を中心とした考え方が必要です。

表3-6 日本介護福祉士会倫理綱領

日本介護福祉士会倫理綱領

1995年11月17日宣言

前文

　私たち介護福祉士は、介護福祉ニーズを有するすべての人々が、住み慣れた地域において安心して老いることができ、そして暮らし続けていくことのできる社会の実現を願っています。

　そのため、私たち日本介護福祉士会は、一人ひとりの心豊かな暮らしを支える介護福祉の専門職として、ここに倫理綱領を定め、自らの専門的知識・技術及び倫理的自覚をもって最善の介護福祉サービスの提供に努めます。

(利用者本位、自立支援)

1　介護福祉士は、すべての人々の基本的人権を擁護し、一人ひとりの住民が心豊かな暮らしと老後が送れるよう利用者本位の立場から自己決定を最大限尊重し、自立に向けた介護福祉サービスを提供していきます。

(専門的サービスの提供)

2　介護福祉士は、常に専門的知識・技術の研鑽に励むとともに、豊かな感性と的確な判断力を培い、深い洞察力をもって専門的サービスの提供に努めます。

　また、介護福祉士は、介護福祉サービスの質的向上に努め、自己の実施した介護福祉サービスについては、常に専門職としての責任を負います。

(プライバシーの保護)

3　介護福祉士は、プライバシーを保護するため、職務上知り得た個人の情報を守ります。

(総合的サービスの提供と積極的な連携、協力)

4　介護福祉士は、利用者に最適なサービスを総合的に提供していくため、福祉、医療、保健その他関連する業務に従事する者と積極的な連携を図り、協力して行動します。

(利用者ニーズの代弁)

5　介護福祉士は、暮らしを支える視点から利用者の真のニーズを受けとめ、それを代弁していくことも重要な役割であると確認したうえで、考え、行動します。

(地域福祉の推進)

6　介護福祉士は、地域において生じる介護問題を解決していくために、専門職として常に積極的な態度で住民と接し、介護問題に対する深い理解が得られるよう努めるとともに、その介護力の強化に協力していきます。

(後継者の育成)

7　介護福祉士は、すべての人々が将来にわたり安心して質の高い介護を受ける権利を享受できるよう、介護福祉士に関する教育水準の向上と後継者の育成に力を注ぎます。

表3-7 日本介護福祉士会 倫理基準（行動規範）

日本介護福祉士会 倫理基準（行動規範）

（利用者本位、自立支援）
1. 介護福祉士は、利用者をいかなる理由においても差別せず、人としての尊厳を大切にし、利用者本位であることを意識しながら、心豊かな暮らしと老後が送れるよう介護福祉サービスを提供します。
2. 介護福祉士は、利用者が自己決定できるように、利用者の状態に合わせた適切な方法で情報提供を行います。
3. 介護福祉士は、自らの価値観に偏ることなく、利用者の自己決定を尊重します。
4. 介護福祉士は、利用者の心身の状況を的確に把握し、根拠に基づいた介護福祉サービスを提供して、利用者の自立を支援します。

（専門的サービスの提供）
1. 介護福祉士は、利用者の生活の質の向上を図るため、的確な判断力と深い洞察力を養い、福祉理念に基づいた専門的サービスの提供に努めます。
2. 介護福祉士は、常に専門職であることを自覚し、質の高い介護を提供するために向上心を持ち、専門的知識・技術の研鑽に励みます。
3. 介護福祉士は、利用者を一人の生活者として受けとめ、豊かな感性を以て全面的に理解し、受容し、専門職として支援します。
4. 介護福祉士は、より良い介護を提供するために振り返り、質の向上に努めます。
5. 介護福祉士は、自らの提供した介護について専門職として責任を負います。
6. 介護福祉士は、専門的サービスを提供するにあたり、自身の健康管理に努めます。

（プライバシーの保護）
1. 介護福祉士は、利用者が自らのプライバシー権を自覚するように働きかけます。
2. 介護福祉士は、利用者の個人情報を収集または使用する場合、その都度利用者の同意を得ます。
3. 介護福祉士は、利用者のプライバシーの権利を擁護し、業務上知り得た個人情報について業務中か否かを問わず、秘密を保持します。また、その義務は生涯にわたって継続します。
4. 介護福祉士は、記録の保管と廃棄について、利用者の秘密が漏れないように慎重に管理・対応します。

（総合的サービスの提供と積極的な連携、協力）
1. 介護福祉士は、利用者の生活を支えることに対して最善を尽くすことを共通の価値として、他の介護福祉士及び保健医療福祉関係者と協働します。
2. 介護福祉士は、利用者や地域社会の福祉向上のため、他の専門職や他機関と協働し、相互の創意、工夫、努力によって、より質の高いサービスを提供するように努めます。
3. 介護福祉士は、他職種との円滑な連携を図るために、情報を共有します。

（利用者ニーズの代弁）
1. 介護福祉士は、利用者が望む福祉サービスを適切に受けられるように権利を擁護し、ニーズを代弁していきます。
2. 介護福祉士は、社会にみられる不正義の改善と利用者の問題解決のために、利用者や他の専門

職と連帯し、専門的な視点と効果的な方法により社会に働きかけます。

（地域福祉の推進）
1．介護福祉士は、地域の社会資源を把握し、利用者がより多くの選択肢の中から支援内容を選ぶことができるよう努力し、新たな社会資源の開発に努めます。
2．介護福祉士は、社会福祉実践に及ぼす社会施策や福祉計画の影響を認識し、地域住民と連携し、地域福祉の推進に積極的に参加します。
3．介護福祉士は、利用者ニーズを満たすために、係わる地域の介護力の増進に努めます。

（後継者の育成）
1．介護福祉士は、常に専門的知識・技術の向上に励み、次世代を担う後進の人材の良き手本となり公正で誠実な態度で育成に努めます。
2．介護福祉士は、職場のマネジメント能力も担い、より良い職場環境作りに努め、働きがいの向上に努めます。

倫理基準（行動規範）

（利用者本位、自立支援）
1．介護福祉士は、利用者をいかなる理由においても差別せず、人としての尊厳を大切にし、利用者本位であることを意識しながら、心豊かな暮らしと老後が送れるよう介護福祉サービスを提供します。
2．介護福祉士は、利用者が自己決定できるように、利用者の状態に合わせた適切な方法で情報提供を行います。
3．介護福祉士は、自らの価値観に偏ることなく、利用者の自己決定を尊重します。
4．介護福祉士は、利用者の心身の状況を的確に把握し、根拠に基づいた介護福祉サービスを提供して、利用者の自立を支援します。

2 専門的サービスの提供

倫理綱領

（専門的サービスの提供）
2　介護福祉士は、常に専門的知識・技術の研鑽に励むとともに、豊かな感性と的確な判断力を培い、深い洞察力をもって専門的サービスの提供に努めます。

> また、介護福祉士は、介護福祉サービスの質的向上に努め、自己の実施した介護福祉サービスについては、常に専門職としての責任を負います。

社会福祉士及び介護福祉士法第47条の2において**資質向上の責務**が定められています。介護を取り巻くさまざまな変化にあわせて、介護福祉士自身の知識や技能を常に向上させることが法律で求められています。資格取得後においても、**自己研鑽**する責任が介護福祉士にはあります。

> **倫理基準（行動規範）**
> **（専門的サービスの提供）**
> 1．介護福祉士は、利用者の生活の質の向上を図るため、的確な判断力と深い洞察力を養い、福祉理念に基づいた専門的サービスの提供に努めます。
> 2．介護福祉士は、常に専門職であることを自覚し、質の高い介護を提供するために向上心を持ち、専門的知識・技術の研鑽に励みます。
> 3．介護福祉士は、利用者を一人の生活者として受けとめ、豊かな感性を以て全面的に理解し、受容し、専門職として支援します。
> 4．介護福祉士は、より良い介護を提供するために振り返り、質の向上に努めます。
> 5．介護福祉士は、自らの提供した介護について専門職として責任を負います。
> 6．介護福祉士は、専門的サービスを提供するにあたり、自身の健康管理に努めます。

3 プライバシーの保護

> **倫理綱領**
> **（プライバシーの保護）**
> 3　介護福祉士は、プライバシーを保護するため、職務上知り得た個人の情報を守ります。

介護福祉士は、利用者の生活や人生そのものにかかわる専門職とし

て、利用者本人やその家族等に関する個人情報をえる立場にあります。これらの情報は、不要に第三者へ漏らしてはなりません。社会福祉士及び介護福祉士法第46条の秘密保持義務や、個人情報の保護に関する法律（個人情報保護法）においても、個人の情報を守ることが求められています。また、近年はインターネットやSNSなどの普及により、簡易に名前や写真など、個人を特定できる情報のやりとりができる世の中になっています。介護福祉士は高い倫理観をもって、生命や財産と同様に、個人情報の取り扱いについてもしっかりと保護する責任があります。

> **倫理基準（行動規範）**
> **（プライバシーの保護）**
> 1．介護福祉士は、利用者が自らのプライバシー権を自覚するように働きかけます。
> 2．介護福祉士は、利用者の個人情報を収集または使用する場合、その都度利用者の同意を得ます。
> 3．介護福祉士は、利用者のプライバシーの権利を擁護し、業務上知り得た個人情報について業務中か否かを問わず、秘密を保持します。また、その義務は生涯にわたって継続します。
> 4．介護福祉士は、記録の保管と廃棄について、利用者の秘密が漏れないように慎重に管理・対応します。

4 総合的サービスの提供と積極的な連携、協力

> **倫理綱領**
> **（総合的サービスの提供と積極的な連携、協力）**
> 4　介護福祉士は、利用者に最適なサービスを総合的に提供していくため、福祉、医療、保健その他関連する業務に従事する者と積極的な連携を図り、協力して行動します。

要介護高齢者や障害者の生活を支えているのは家族をはじめ、介護福祉士などの介護福祉職や、医療職、相談援助職など多くの職種の人々です。介護が必要な状態の人は、医療的なニーズをもちあわせていることが多く、医療・介護・福祉の専門職による連携が必要となります。また、

地域のなかで支えるためには、専門職同士の連携だけではなく、地域のボランティアや行政関係者、企業や学校関係者などとも連携が必要であり、それらのネットワークづくりや、マネジメントする能力も求められます。

> **倫理基準（行動規範）**
> **（総合的サービスの提供と積極的な連携、協力）**
> 1．介護福祉士は、利用者の生活を支えることに対して最善を尽くすことを共通の価値として、他の介護福祉士及び保健医療福祉関係者と協働します。
> 2．介護福祉士は、利用者や地域社会の福祉向上のため、他の専門職や他機関と協働し、相互の創意、工夫、努力によって、より質の高いサービスを提供するように努めます。
> 3．介護福祉士は、他職種との円滑な連携を図るために、情報を共有します。

5 利用者ニーズの代弁

> **倫理綱領**
> **（利用者ニーズの代弁）**
> 5　介護福祉士は、暮らしを支える視点から利用者の真のニーズを受けとめ、それを代弁していくことも重要な役割であると確認したうえで、考え、行動します。

介護を必要としている要介護高齢者や障害者などのなかには、自分の考えや意見・思いを、言葉や態度に適切にあらわすことができない人もいます。しかし、その利用者のいちばん近くで寄り添い支えている介護福祉士は、その人のニーズや声なき声をくみとり、利用者の望む暮らしに向けた支援を行います。本人に代わって、ニーズを伝え権利を護る支援のことを**代弁機能**、または**アドボカシー**といいます。

> **倫理基準（行動規範）**
> **（利用者ニーズの代弁）**
> 1．介護福祉士は、利用者が望む福祉サービスを適切に受けられる

ように権利を擁護し、ニーズを代弁していきます。
2．介護福祉士は、社会にみられる不正義の改善と利用者の問題解決のために、利用者や他の専門職と連帯し、専門的な視点と効果的な方法により社会に働きかけます。

6　地域福祉の推進

倫理綱領
（地域福祉の推進）
6　介護福祉士は、地域において生じる介護問題を解決していくために、専門職として常に積極的な態度で住民と接し、介護問題に対する深い理解が得られるよう努めるとともに、その介護力の強化に協力していきます。

地域包括ケアシステムの実現や、共生社会の実現に向けて、だれもが安心して暮らすことができる地域をめざすためには、介護福祉士の専門性が不可欠です。介護福祉士は、自分の職場のみでその専門性を発揮するだけではなく、自分が住んでいる地域や、広く社会のために貢献することが求められます。災害支援活動やボランティア活動、地域住民に対する介護指導や教育など、介護福祉士は地域社会における幅広い活躍が期待されています。

倫理基準（行動規範）
（地域福祉の推進）
1．介護福祉士は、地域の社会資源を把握し、利用者がより多くの選択肢の中から支援内容を選ぶことができるよう努力し、新たな社会資源の開発に努めます。
2．介護福祉士は、社会福祉実践に及ぼす社会施策や福祉計画の影響を認識し、地域住民と連携し、地域福祉の推進に積極的に参加します。
3．介護福祉士は、利用者ニーズを満たすために、係わる地域の介護力の増進に努めます。

7 後継者の育成

> **倫理綱領**
> **(後継者の育成)**
> 7　介護福祉士は、すべての人々が将来にわたり安心して質の高い介護を受ける権利を享受できるよう、介護福祉士に関する教育水準の向上と後継者の育成に力を注ぎます。

　介護福祉士がめざす最大の目標は「**国民の福祉の向上**」です。国民だれしもが、その人らしく幸せな暮らしを送ることができる社会をめざしています。それは、現代だけではなく、将来にわたって質の高い支援やサービスを受けることができる社会でなければなりません。その役割を果たすためには、介護福祉士みずからが生涯学習を通じ研鑽を行うことはもちろんですが、後輩や介護福祉職をめざす人たちの育成指導を行い、質の高い介護福祉サービスが継続されることが重要です。

> **倫理基準(行動規範)**
> **(後継者の育成)**
> 1．介護福祉士は、常に専門的知識・技術の向上に励み、次世代を担う後進の人材の良き手本となり公正で誠実な態度で育成に努めます。
> 2．介護福祉士は、職場のマネジメント能力も担い、より良い職場環境作りに努め、働きがいの向上に努めます。

演習3-1　利用者の尊厳を保持した倫理的介護実践

　介護実践の現場において、利用者の尊厳に配慮した介護実践とは、具体的に「何を、どのようにすること」なのか。日本介護福祉士会倫理綱領や普遍的生命倫理原則から、グループで話し合ってみよう。

❶「利用者の尊厳」とは、人間のどのような側面を意味するのか。また、普遍的生命倫理原則の4つの原則のうち、どの原則ともっとも関係が深いか。人間1人ひとりに生まれながらに備わっているとされる価値「尊厳」について、話し合ってみよう。

❷「利用者の尊厳」に配慮した介護実践とは、具体的に「どのような実践」を行うことか、グループで話し合ってみよう。その際、p.122の表3-4「尊厳ある介護実践に向け具体的に配慮すべきポイント」にそって、具体的に話し合ってみよう。

❸ ❶❷の話し合いを通して、介護福祉職が「利用者の尊厳」に配慮した介護を行うことが求められるのはなぜか、グループで話し合ってみよう。また、「利用者の尊厳」に配慮した介護実践を行うために、介護福祉職がもっとも心がけなければならないことは、どのようなことか。各自文章にまとめてみよう。

第 4 章

自立に向けた介護

- 第 1 節　介護福祉における自立支援
- 第 2 節　ICFの考え方
- 第 3 節　自立支援とリハビリテーション
- 第 4 節　自立支援と介護予防

第 1 節

介護福祉における自立支援

学習のポイント
- 自立支援の具体的な考え方を理解する
- 利用者の意思決定を支える方法について理解する
- 自立を支援するための環境整備について理解する

関連項目
① 『人間の理解』▶ 第1章第2節「自立のあり方」
⑭ 『障害の理解』▶ 第1章第2節「障害者福祉の基本理念」

1 自立支援の考え方

　「自立」という言葉は、一般的にも多用され、日常的に見聞きしますが、社会福祉領域で意味する自立とはどういうことなのか、確認をしていきましょう。

　一般的には、自立とは他者の力を借りず自分の力だけで生活を成り立たせることと考えることが多いと思います。しかし、介護福祉職の人がかかわる対象は、そもそも「身体上又は精神上の障害があることにより日常生活を営むのに支障がある」人たちです。身体上又は精神上の障害があっても、また自分の力だけで生活を成り立たせることに支障があったとしても、1人の人間として自分らしく生きる権利を保障するために、どのような自立の形があるのか、共通の認識をもつ必要があります。

　社会福祉の基本的事項を定めた社会福祉法では、福祉サービスの基本的理念を、「個人の尊厳の保持を旨とし、（中略）その有する能力に応じ自立した日常生活を営むことができるように支援する」（社会福祉法第3条）と記されています。また、福祉サービスの提供の原則（社会福祉法第5条）については、「利用者の意向を十分に尊重」することを求めています。これらをふまえつつ、自立について、ここでは以下の3つの側面から述べることにします。

1 身体的自立

　生活の営みには、1日24時間の生活リズムに応じた生活行為が必要です。その生活行為は、基本的生活習慣として日々の積み重ねの過程で、その人らしさの1つとしてつちかわれています。専門的には、日常生活動作（Activities of Daily Living：ADL）と称して、食事、排泄、入浴、睡眠、洗面、更衣などの動作別に、どの動作がどのようにできるのか、対象の状態を観察、把握するために活用されています。大切なことは、先に述べたように「その有する能力に応じ自立」していることであり、自分の力だけでできることを求めるものではありません。本人の有する能力を最大限発揮できる方法について、利用者とともに話し合いながら、利用者がみずから行う意欲を支え、利用者が身体能力を発揮できている充実感や達成感がえられる状態にあることが身体的自立です。

2 精神的自立

　精神的自立とは、自分の生活や人生をどのように生きるかという方向性を、みずからの選択・意思決定によりつくりあげていくことです。「こう、ありたい」と願う利用者の精神の自由を阻まず、どのような方法であれば可能になるのか、「利用者の意向を十分に尊重」して利用者とともに考えることが大切です。介護を必要とする状態にあるということが、何らかの制限や制約を課す理由にはなりません。

3 社会的自立

　社会的自立とは、社会の構成員として法令や規範を守り、関係する人たちとの折り合いをつけつつ人間関係を築き、さまざまな社会活動に参加している状態といえるでしょう。社会的自立においては、社会性の獲得や社会活動能力の修得あるいは各種能力の低下・喪失など、発達段階に応じてそれぞれに違いがあるのは述べるまでもありません。「その有する能力に応じ自立」できるよう、多様な社会活動において、どの活動への参加を希望するのか、どのような方法が可能なのか、社会的自立に制約がかからないようにする必要があります。

以上、3つの側面から自立を確認してきましたが、これらは1人の人間を形成している主たる側面を表しています。これらが重なり合うことで、1人の人間として統合された自立が維持されることになります。そして、介護福祉職のめざす自立支援とは、「個人の尊厳の保持を旨とし、その有する能力に応じ自立した日常生活を営むことができるように支援する」ことをさしています。

2 利用者理解の視点

1 ICFの考え方

　ICF（International Classification of Functioning, Disability and Health：国際生活機能分類）の考え方は、障害というマイナス面だけではなく、プラス面を重視することが大きな特徴とされています[1]。それは、利用者の生活全体のなかで障害というマイナスの占める部分は小さく、それを上回る健常な機能・能力（プラス）があるという、プラスのなかにマイナスを位置づけてみることです。本人・家族ですら気づいていない対象者の潜在的生活機能を引き出すことが介護福祉職の重要な役割とされています。

　ICFでは、複雑な生活をとらえるためのツールとして、生活の全体像をとらえるICFモデルを提唱しています。介護福祉職の気になる点、意識する部分だけに着目するのではなく、対象者のプラス面、マイナス面を含めて生活の全体像をとらえるICFモデルの活用により、潜在的生活機能を見いだしやすくなります。ICFの詳細については第4章第2節で学習しますが、ICFの考え方を理解し、利用者の自立を阻害するといった事態が発生しないよう、ICFモデルの活用ができる力を養いましょう。

❶自律
自身の立てた規範に従って行動することであり、危険をおかすことを含め、決定したことに責任を負うことのできる主体者として自分の人生を自分なりに生きること。

2 自立支援とエンパワメントの考え方

　今日の社会福祉では、利用者を自律❶した個人として位置づけ、自己選択、自己決定を重視しています。

第1節 介護福祉における自立支援

　福祉サービスの主体は、生活困難・障害に対処する当事者であり、支援者は当事者との対等な関係、協働関係のもとで、支援していくパートナーであると考えられるようになってきました。こうした発想にもとづく援助方法としてエンパワメントという概念が提唱されています。

　エンパワメントとは、「人が自身の生活に関わる出来事や制度に参加し、統制力をわかちあい、影響をおよぼせるよう、強化していく過程である」[2]と定義されています。

　エンパワメントの実践においては、介護福祉職が利用者をどのような存在ととらえているかが、そのかかわりに影響を及ぼすことになります。介護福祉職が利用者の潜在能力を信じ、利用者と介護福祉職とのパートナーシップにより利用者の力が引き出され、自己の意思を表出することができるかどうか、が重要になります。つまり、介護福祉職のかかわり方が**利用者主体**に行われているか、利用者を支援者に従属させる方向ではなく、利用者がみずから困難を解決していくパワーを発揮する方向に向かっているかどうか、が問われていることになります。

　介護福祉職には本人が理解できるように十分な**説明責任**を果たし、利用者本人の意思や意見を表出しやすい関係を構築し、環境を整えていくことが求められます。

　また、**エンパワメント・アプローチ❷**においては、利用者のストレングスに焦点をおいた介護福祉職のかかわり方が重要になります。**ストレングス**については、「すべての人びとは、広範な才能、能力、キャパシティ、スキル、資源、願望をもつ。ある時点でのそれらの表現のされ方の多少にかかわらず、人々は表現され得る心的、身体的、情緒的、社会的、精神的能力の未活用で未決定の貯蔵庫をもつ」[3]として、人は必ず潜在的能力を有することが強調されています。

　介護福祉職は、利用者がたとえ生活困難や生活障害をかかえていたとしても、顕在化していない利用者の潜在能力をかかわりの過程で見いだし、利用者自身が現在の困難や障害と主体的に向き合える力（パワー）を獲得できるよう、利用者のストレングスに焦点をあてパートナーシップを果たすことが求められています。

　前述してきたように、自己の意思による生活がしづらい状況下におかれると、自分らしさが損なわれ、身体機能や心理・社会的機能の低下を招き、受動的な生活状況におちいり、結果的に不活発な生活状態になり

第4章 自立に向けた介護

❷エンパワメント・アプローチ
利用者が自己決定できるよう、利用者の自律性、自主性を高め、課題改善に取り組み、自己実現をはかっていく過程を支援するアプローチ。

かねません。そういう意味からも、自立支援においてはエンパワメントやストレングスの考え方をもとに利用者の潜在能力を引き出し、利用者が主体的にみずからの困難と向き合えるようパートナーシップが重要であることを述べてきました。

あらためて、ここでふれるのは、エンパワメントやストレングスの考え方とICFの考え方も同じ方向性にあるということです。

図4-1は、生活不活発病（廃用症候群）におちいる状況を示しています。何らかの理由で心身機能に不調や障害を生じると、「からだがこんな状態だから」という思いから日常の生活において、「無理をしないように」や「これはできない」等の気持ちが強くなり、活動制限をみずから設けてしまう場合がよくあります。そのことは、社会との交流である「参加」にも影響し、「出かけたくない」や「もうできない」というような自分のもてる力に対する過小評価へとつながっていくことになります。心身機能に不調や障害を生じたことをきっかけに活動が減り、行動範囲が縮小し、社会参加が少なくなることで生活空間が縮小されていきます。それは、単にからだを使わないという部分だけの影響にとどまらず、全身への影響をもたらし、精神機能の低下まで招くことになります。このような状況が、生活の活性化ではなく、逆に不活発な状態を生んでしまうことになります。

多様な状態にある人々の、その人らしい自立支援、生活の活性化をめ

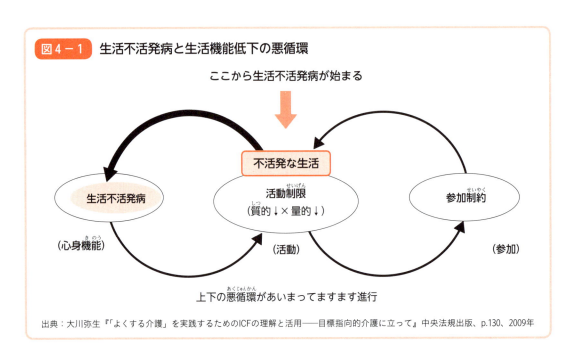

図4-1　生活不活発病と生活機能低下の悪循環

出典：大川弥生『「よくする介護」を実践するためのICFの理解と活用――目標指向的介護に立って』中央法規出版、p.130、2009年

ざすためには、介護福祉職のはたらきかけだけでは限界があります。とくに医療依存度の高い利用者の場合には、医療職や栄養士等との連携、協働は不可欠です。介護保険制度ではケアマネジメントシステムが導入され、そこでは多職種で構成されるケアチームによる取り組みがすでに実践されています。他職種の役割を理解し、相互に専門性を認め合いながら、連携、協働する力が求められています。

3 意思決定支援

　利用者がよりよく自己決定の権利を行使できるための前提として、「十分な説明を受けたうえでサービスを自己決定する権利」を保障する必要があります。

　介護福祉職は直接的に利用者の日常生活にかかわるという特徴を有していますが、本人の望まない介護・支援は原則として身体の自由の侵害にあたります。そのため、利用者はどのようなサービスを利用したいのか、またどのサービス提供者を選びたいのかについて、十分な説明を受けたうえで自己選択・決定する権利が保障されなければなりません。

　介護保険法では、サービスに関して情報を請求する権利について、被保険者の選択に基づくサービス提供という基本理念を定めています（介護保険法第2条第3項）。また指定居宅介護支援事業者は、本人の心身の状況、置かれている環境、本人及び家族の希望を勘案して居宅サービス計画を作成することとされ（介護保険法第8条第24項）、さらに運営基準に、サービスの選択に資すると認められる重要事項についての説明義務が明記されています（指定居宅介護支援等の事業の人員及び運営に関する基準（平成11年厚生省令第38号）第4条第1項）。

　この権利を保障するためには、利用者が必要とする、あるいは利用者にとって知っていることが有益だと思われる情報を、本人が理解できるような方法を用いて伝える必要があります。

　また、利用者本人が家族等の同席の場で自己の意思表示ができるような人間関係であるか等、意思決定にともなう環境を整えることも重要になります。家族が同席する場で利用者本人の意思表示が困難な場合は、家族とは異なる時間帯や場を設定することが求められます。そのうえで、利用者本人の意思を代弁し、家族との意見調整を行う必要がありま

す。

このように、自分の生活に影響を及ぼす事柄について、本人自身が主体的に意思の表出をし、必要な情報をもとに選択をして、利用者主体の自己決定をできるよう支援することが求められます。

1 ライフスタイルに関する自己決定権の支援

利用者の生活の事柄に対する自己決定を、「ライフスタイルに関する自己決定権」といいます。それは、おもに以下の内容をさしています。
① 1日24時間をどのような生活リズムで過ごすのか
② 日々くり返される日常生活動作としての基本的生活習慣は、どんな考え方で、どのような方法で行うのか
③ 生活を成り立たせるための家事行為や経済的側面はどんな考えおよび方法なのか
④ 生活における趣味や生きがいなどについて、どのような価値観を有しているのか
⑤ どんな人生を送りたいのか

利用者の毎日の生活を支援する役割をになっている介護福祉職が、日常の介護場面でいかに利用者の自己決定権を保障できるかかわりをもてるかが、「介護の質」を決めるといっても過言ではありません。毎日くり返される生活の営みの場で、介護福祉職の考えや思い込みによる一方的な支援内容・方法にならないよう、利用者の自己選択の機会を奪わないという高い倫理観が求められることになります。

2 生命・身体に関する自己決定権の支援

利用者の生命・身体に関する自己決定権とは、自己の健康に関する自己責任と同時に、健康に関する自己の権利をさしています。

身近な例として、体調が悪いときに病院やクリニックなどの医療施設を受診する（患者になる権利）・受診しない（患者にならない権利）を自分で決める権利です。また、超高齢社会の今日においてクローズアップされているように、自己の生命に救急を要する状態が生じたとき、延命治療を希望するのか、あるいは自然の流れにまかせることを希望するのかなど、人生の最終段階における自己決定権の具現化なども含まれま

す。

　後者の権利の具現化が、"終活"と称されて社会現象になっています。具体的には、看取りの時期をどこで、どのように過ごしたいのか、救急の生命状態になったとき延命治療を希望するのか否かなど、人生の最期を迎えるにあたり、自己の意思を明確にする権利です。同時にこれらのことは、これまでの自分・人生をふり返り、これからを生きる家族や親族、友人に向けて、エンディングノートとして伝言を残すなどの身辺整理を進めつつ、やがて訪れる自分の死への心構えをつくり、死との向き合い方を学習していることにもなります。

　今日では、福祉政策が利用者の意思の尊重を掲げ、福祉に対する国民

図4－2　事前指示書の例

リビング・ウイル　Living Will
―終末期医療における事前指示書―
（2017年7月改訂版）

　この指示書は、私の精神が健全な状態にある時に私自身の考えで書いたものであります。
　したがって、私の精神が健全な状態にある時に私自身が破棄するか、または撤回する旨の文書を作成しない限り有効であります。

□私の傷病が、現代の医学では不治の状態であり、既に死が迫っていると診断された場合には、ただ単に死期を引き延ばすためだけの延命措置はお断りいたします。
□ただしこの場合、私の苦痛を和らげるためには、麻薬などの適切な使用により十分な緩和医療を行ってください。
□私が回復不能な遷延性意識障害（持続的植物状態）に陥った時は生命維持措置を取りやめてください。

　以上、私の要望を忠実に果たしてくださった方々に深く感謝申し上げるとともに、その方々が私の要望に従ってくださった行為一切の責任は私自身にあることを付記いたします。

（氏名等記入欄　略）

出典：一般財団法人日本尊厳死協会ホームページ

の権利意識が浸透してきています。そのため、入居時に「**事前指示書**」[4]（図4-2）などの名称で、救急時の対応に関する利用者の意思を確認する福祉施設が多くを占める傾向にあります。

　以上のように、福祉サービス利用者の権利を保障し、利用者の意思にもとづく選択を可能にすることで、人生の最期まで、その人らしい自立した生活への一歩となります。

4　生活意欲と活動

1　社会参加

　高齢者の社会活動の実態をみると（『高齢社会白書　令和3年版』）[5]、60～69歳では71.9％、70歳以上では47.5％が働いているか、またはボランティア活動、地域社会活動（町内会、地域行事など）、趣味やおけいこ事等の活動を行っています。逆に、社会的な活動をしていない理由では、「健康上の理由、体力に自信がない」（34.6％）、「時間的・精神的ゆとりがない」（25.4％）、「団体内での人間関係がわずらわしい」（17.0％）が多くみられます。

　続けて、60歳以上の者の学習活動をみると[6]、この1年くらいの間に学習をしたことのある人は、60代では55.0％、70歳以上では42.5％となっています。学習の形式は、60代では「インターネット」（16.5％）がもっとも多く、「テレビやラジオ」（14.0％）、「自宅での学習活動」（書籍など）（13.4％）、「公民館や生涯学習センターなど公的な機関における講座や教室」（12.4％）、「職場の教育、研修」（11.8％）、「カルチャーセンターやスポーツクラブなど民間の講座や教室、通信教育」（11.5％）等、多様な方法が用いられています。70歳以上では、「公民館や生涯学習センターなど公的な機関における講座や教室」（16.2％）がもっとも多く、「自宅での学習活動」（12.5％）、「テレビやラジオ」（12.3％）、「カルチャーセンターやスポーツクラブなど民間の講座や教室、通信教育」（10.5％）などです。

　これらの学習成果の活用状況をみると（内閣府「生涯学習に関する世論調査（平成30年7月調査）」）、60代では、「自分の人生を豊かにしてい

る」(59.9％)、「健康の維持・増進に役立っている」(42.4％)、「家庭や日常の生活に生かしている」(40.1％)、「地域や社会での活動に生かしている」(27.7％)等となっています。70歳以上でも60代同様に、「自分の人生を豊かにしている」(60.3％)、「健康の維持・増進に役立っている」(55.7％)、「家庭や日常の生活に生かしている」(40.7％)、「地域や社会での活動に生かしている」(31.4％)等です。この結果より、学習成果が生活や健康によりよく生かされていることがわかります。

　上記の、学習成果としてもっとも多くを占めたのが「自分の人生を豊かにしている」であったことが示しているように、高齢者の社会参加が、生活の満足感を高めることに関連していることがわかります。充実感や満足感という肯定的な感情は、高齢者に限らずその人自身が生きるための意味や価値を形成すること、つまり、生きがいにつながっています。また、「健康の維持・増進に役立っている」ことや「家庭や日常の生活に生かしている」ことから、積極的に社会参加していくことは介護

図4-3　生活支援サービスの充実と高齢者の社会参加

　高齢者が住みなれた地域で暮らしていくためには、生活支援サービスと高齢者自身の社会参加が必要。
　多様な主体による生活支援サービスの提供に高齢者の社会参加を一層進めることを通じて、元気な高齢者が生活支援の担い手として活躍することも期待される。このように、高齢者が社会的役割をもつことにより、生きがいや介護予防にもつながる。

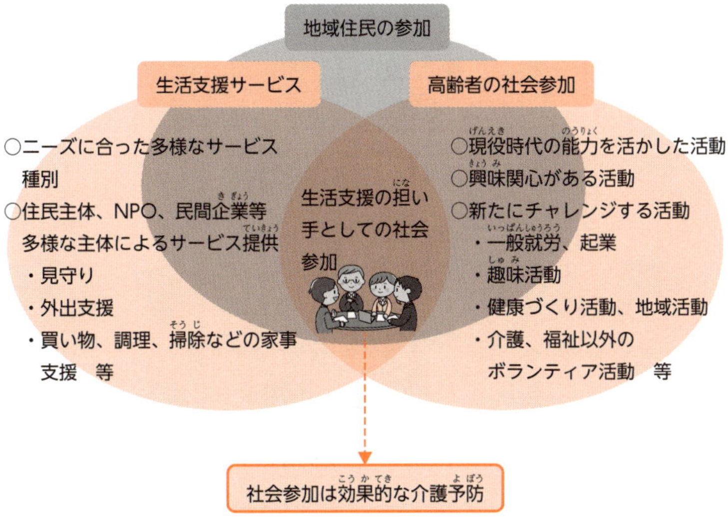

地域住民の参加

生活支援サービス
- ニーズに合った多様なサービス種別
- 住民主体、NPO、民間企業等多様な主体によるサービス提供
  ・見守り
  ・外出支援
  ・買い物、調理、掃除などの家事支援　等

高齢者の社会参加
- 現役時代の能力を活かした活動
- 興味関心がある活動
- 新たにチャレンジする活動
  ・一般就労、起業
  ・趣味活動
  ・健康づくり活動、地域活動
  ・介護、福祉以外のボランティア活動　等

生活支援の担い手としての社会参加

社会参加は効果的な介護予防

出典：厚生労働省資料

❸健康寿命
世界保健機関（WHO）が2000年に提唱したもので、「健康で自立した生活を送れる平均期間を推定した概念」として近年よく用いられる言葉。ただし、健康と不健康は明確に区別できないため、健康上のトラブルによって日常生活が制限されずに暮らせる期間という意味合いをもつ。

予防や認知症予防につながり、さらなる健康増進の要因ともなりえます。これはまさに**健康寿命**❸の延伸につながっています。

　高齢者が住み慣れた地域で自分らしく生活を継続していくためには、生活支援サービスと高齢者自身の社会参加が必要となります。地域包括ケアシステムにおける生活支援サービス主体も、住民、NPO、民間企業など多種多様で、サービス自体も、見守り、外出支援、買い物、調理、掃除などの家事支援があります。図4－3に示すように、地域で行われている生活支援サービスに高齢者が積極的に参加できるよう促進することが必要です。特に、超高齢社会においては高齢者が生きがいをもてる社会であるか否かが、社会全体の活力に大きな影響を与えることになります。

　また、社会参加はフレイル予防の観点からも3つの柱の1つに位置づけられ（「ニッポン一億総活躍プラン」2016（平成28）年閣議決定）、国家プロジェクトとして全国展開が図られています。**フレイル**とは、虚弱状態をさし、健康と要介護の中間にあるが、身体的、心理的、社会的活動のあり方によってさまざまな機能を取り戻せる可能性がある状態のことです。そこで、フレイル予防の3つの柱を図4－4のように示し、健康寿命の延伸を推奨しています[7]。

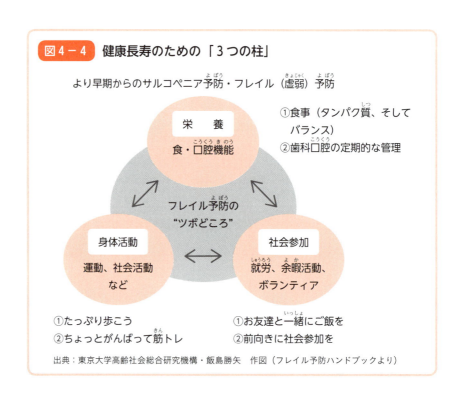

図4－4　健康長寿のための「3つの柱」

出典：東京大学高齢社会総合研究機構・飯島勝矢　作図（フレイル予防ハンドブックより）

2 アクティビティ

　人にとって、人生の最期まで自分らしく生活できることが生きる意欲につながります。自分らしく生きるということには、その人の個性や能力が関係し、自分の個性や能力等が阻害されず、それらを自分の意思で自分らしく発揮できている状態は、その人の満足感や充実感、達成感を高め、精神的に快適な状態を創り出します。精神的に快適な状態は、次の意欲を生み出すことにつながっています。しかし、介護を必要としている人は自分の力だけで快適な状態を創り出すことに困難を伴いやすく、日常生活が単調になりやすい傾向にあります。

　そこで、生活を活性化（activation）させるケアのあり方が、**アクティビティ・ケア**として導入され、普及しています。その目的は、利用者が若い頃に獲得してきた技術や趣味などを通じて、自尊心や自信を取り戻し、生き生きとした生活を送ることにあります。そのための方法として、まず福祉サービスの利用者が**生活の快**を感じ、心身と生活の活性化を得るために、支援者とのコミュニケーションを成立させることが重要です。利用者に傾聴、共感的姿勢でかかわり、利用者の心身の開示ができるよう信頼関係を築くことが、アクティビティ・ケアをよりよく進めるための基盤となります。

❹**生活の快**
自分の個性や能力を生活のなかで発揮し、自分らしく生きているという精神的に満たされた快適な生活状態。

5 就労支援

1 働くことの意義

　働くことに対する日本人の特徴を「働きがい志向型」と類型化し、「働くことを何らかの社会的価値を創造する活動ととらえ、仕事の内容そのものがどのくらいおもしろいか、自分の能力や技術の向上につながる学習の機会はあるかといった、仕事に対する精神的充実感を重要視する傾向が強い」[8]とする研究成果があります。つまり、日本の高齢者も、働くこと自体、働くことを通じて得られる経済的収入以外のものに生きがいを見いだしているということです。具体的には、仕事を通じて自分の技能が熟練され、自分の潜在能力が開発される、仕事によって個

人の人格的成長がもたらされる、というものです。

このような特徴をふまえ、働くことを望む障害者や高齢者には働く機会と場を積極的に提供していくことが、日本型高齢社会の重要課題に位置づけられています。

2 就労支援と介護福祉

60歳以上の男女を対象とした「令和元年度 高齢者の経済生活に関する調査結果」（内閣府）によると、現在、収入のある仕事をしている人に、その仕事をしている理由を尋ねたところ、全体では、「収入がほしいから」（45.4％）がもっとも多く、次いで「働くのは体によいから、老化を防ぐから」（23.5％）、「仕事そのものが面白いから、自分の知識・能力を生かせるから」（21.9％）の順となっています。

男女別にみると、女性は「働くのは体によいから、老化を防ぐから」が28.4％と、男性の19.8％に比べて高いのに対し、男性は「仕事そのものが面白いから、自分の知識・能力を生かせるから」が24.7％と、女性の18.2％に比べて高くなっています。また、男性の場合、年齢が上がるほど「収入がほしいから」の割合が低くなっていきます。

就労は個人レベルで社会参加の手段、生きがいというだけでなく、労働人口の減少が危惧される現在にあっては、**ニッポン一億総活躍プラン❺**や**地域共生社会❻**に示されているように、社会レベルで貴重な労働力としての社会的価値も有しています。そのため、政策的にもさまざまな状態にある人を対象に、その人のもてる能力の発揮や潜在能力を開花させるための多様な制度、しくみが整備されています。厚生労働省は2020（令和2）年3月16日に「高年齢労働者の安全と健康確保のためのガイドライン」（エイジフレンドリーガイドライン）を公表し、高年齢労働者が安心して安全に働ける職場環境づくりを推進しています。

❺ニッポン一億総活躍プラン
少子高齢化による将来の労働人口の減少や経済規模の縮小というリスクに対して示されたプランであり、女性も男性も、お年寄りも若者も、一度失敗を経験した人も、障害や難病のある人も、家庭で、職場で、地域で、あらゆる場で、だれもが活躍できる、いわば全員参加型の一億総活躍社会の実現をめざしたもの。

❻地域共生社会
「ニッポン一億総活躍プラン」で示されたものであり、制度・分野ごとの「縦割り」や「支え手」「受け手」という関係を超えて、地域住民や地域の多様な主体が参画し、人と人、人と資源が世代や分野を超えてつながることで、住民1人ひとりの暮らし、生きがい、地域をともに創っていく社会をいう。

6 自立と生活支援

1 家族・地域とのかかわり

　介護福祉職の業務は、利用者の心身の状況に応じた介護、つまり、**個別ケア**を提供することです。そして、その利用者の背景には家族の存在があり、情緒的な強い絆で結びついています。家族の構成員はそれぞれが影響し合う関係にあり、利用者と家族との関係のありようは互いの生活の質を左右することになります。たとえば、介護が必要となった自分の状態を、一番身近にいて理解してくれるはずの家族から、やっかい者扱いをされたり、尊厳を傷つけるような暴言を吐かれたりする家族環境のなかで、利用者は生きる意欲、前向きな気持ちが湧いてくるでしょうか。介護現場において、イベントへの参加回数が少ない利用者に対して消極的だという一方的なレッテルを貼ってしまいがちですが、そういうときにこそ、消極的にみえる背景に何が影響しているのか、その原因を探ることから個別ケアは始まります。

　一方で、家族もまた1人ひとり個人としての生活があるのも事実です。家族構成員のなかに介護を必要とする人が生じると、家族としてのこれまでの生活リズムや役割などに影響を与え、さまざまなバランスが崩れやすくなります。このバランスをよりよく維持するために家族として向き合い対処することになりますが、家族に対応できることと地域や制度等の社会資源を必要とする場合とがあります。家族は、介護についてはできるだけ自分たちがになわなければならないといった義務感にとらわれがちですが、過度な取り組みは継続することを難しくします。制度の利用で対応可能なことについては、介護福祉職が当事者および家族、関係者を交えて地域の機関や団体、制度等の情報を提供し、介護負担感を軽減できるよう家族と向き合うことが大切です。また、家族のみでなく親戚、近隣、知人などとの人間関係が日頃から構築されている場合には、「お互いさま」の関係を活用しやすいよう助言をしたり、調整したりすることも必要になります。これらのことは、介護福祉職自身も、当事者や家族に関連する地域の専門機関や多職種と連携しながら、地域全体で支援するという考えや姿勢で取り組むことが求められていま

す。特に、医療依存度の高い利用者が地域で暮らすという状況にある現在では、そういった取り組みは、家族介護にかかわっている人の安心感につながり、当事者との関係によりよい効果をもたらします。

このように、家族と利用者の関係を念頭に、家族が地域で孤立しないように支援することが重要になります。

2 生活環境の整備

生活を営むうえで不可欠なのが、住居です。この住居で日常生活を営むことになるため、そのありようで生活も影響を受けることになります。生活を営むうえでは、だれもが安心、安全で、自分らしく快適な生活ができることを望むのではないでしょうか。ここでは、生活環境を物理的、心理的、社会的側面から考えてみることにします。

（1）物理的環境

物理的環境としては安全面と安心面が維持される必要があります。屋外から人や動物が簡単に侵入できない造りであること、大雨や地震などの自然災害から一定の安全が確保されていることなど、家屋自体が生命の危険から守られる地理的条件を満たしていることが重要です。他方、屋内に目を向けると、自分のもてる力を発揮して生活行為を行ううえで、十分な空間および構造になっているかが問われます。もし構造上の障壁がある場合には、段差の解消、動線の改善、車いすの種類に適した通路の確保等のハード面の対応が必要になります。また介助を必要とする場合には、居間や寝室、トイレ、浴室などの介助者用スペースを確保することも重要です。さらに、利用者がもてる力を発揮しやすいよう、滑りにくい床、手すり、ドアや引き戸などをその人の状態にあわせて設置する必要があります。

快適な環境という点からは、冷暖房設備を用いた室内の温度管理、自然採光や使用目的に応じた照明の調整、防音など、主観的感覚、好みにあわせた調整が可能であることが求められます。

物理的環境の面では、制度的に住宅改修等の取り組みが当事者や家族を含め保健、医療、福祉職の連携により進められています。

（2）心理的環境

　心理的環境としては、安心感をもてること、快適であることが重要です。家族との交流が感じられる状態は、家族の一員であるという帰属意識を高め、大事にされているという大きな安心感を生み出します。プライバシーを確保することも大切ですが、家族の集う居間と離れすぎず、家族の気配や生活音を感じられることが孤立感を避けることになります。また、四季の変化や自然の営みには、だれもが癒されます。たとえ庭に出ることはできなくても、部屋の中から庭木や草花を眺めたり、近隣の生活の様子を感じたりすることは、安らぎと同時に五感への快適な刺激となり精神的な変化をもたらしてくれることにつながります。さらに、これまで愛用してきたものやこだわりの生活用品が身近な場所にあることによって、生活者としての自分らしさを実感したり、安心感をえたりする機会にもなります。このような生活における安心感や快適さの実感は、家族等をはじめ周囲に対する感謝の気持ちに反映され、関係者とのよりよい関係が維持されることにつながります。

（3）社会的環境

　社会的環境としては、人とのつながり、役割など社会参加が可能な状態にあることが重要です。生活に必要な情報へのアクセスが可能であること、直接的な社会参加のための移動手段が確保されていることなどです。社会資源として、**ガイドヘルパー**やガイドボランティア、交通利用料金の割引、介護タクシーなどの障害者や高齢者に配慮した車両、自動車の改造費用助成など、外出を支援するさまざまなサービスが整備されています。

　以上のように、住居を起点に日常生活を継続するにあたり、2011（平成23）年の高齢者の居住の安定確保に関する法律（高齢者住まい法）の改正により、介護、医療、安否確認、生活相談、食事提供・清掃・洗濯等の生活支援サービスが住居とともに提供されること（サービス付き高齢者向け住宅）が法制化されました。さらに、2014（平成26）年にはサービス付き高齢者向け住宅（サ高住）にも、条件が適えば住所地特例が認められ、高齢者に対する新しい住環境のあり方が模索されています。

3 バリアフリー・ユニバーサルデザイン

　公共建築物や交通機関のバリアフリー化は、1994（平成6）年に制定された高齢者、身体障害者等が円滑に利用できる特定建築物の建築の促進に関する法律（ハートビル法）や2000（平成12）年の高齢者、身体障害者等の公共交通機関を利用した移動の円滑化の促進に関する法律（交通バリアフリー法）により取り組まれてきました。2005（平成17）年にはユニバーサルデザイン政策大綱により、だれもが利用できる公共空間の構築へと方向性が示され、2006（平成18）年に制定されたのが、高齢者、障害者等の移動等の円滑化の促進に関する法律（バリアフリー新法）です。これにより、ハートビル法と交通バリアフリー法は廃止され、それらの内容が統合、拡充されたものとなっています。さらに、2021（令和3）年の東京2020パラリンピックの開催を機に一部改正が行われています。

　このように高齢者や障害者が自立した日常生活を営むことができるようにするため、円滑な利用に配慮された公共的施設の整備が促進されています。また、高齢者や障害者だけでなく、すべての年齢層の人々にとって利用しやすいエイジレス社会[7]をめざして、不安のない生活を営むことができるよう交通の安全を確保する体制が図られています。

[7] エイジレス社会
高齢社会対策大綱（2018（平成30）年2月16日閣議決定）のなかで示されているもので、年齢による画一化を見直し、すべての年代の人々が希望に応じて意欲・能力をいかして活躍できる社会。類似する語として、エイジフリー、エイジフレンドリーがある。

4 福祉のまちづくり

　近年の福祉政策は、個人の尊厳を尊重する視点から、個々人の生活に着目し、たとえ障害があっても、要介護状態になっても、できる限り住み慣れた地域のなかでその人らしい暮らしができるような基盤整備を行うというのが基本的な考え方です。それにもとづき、地域での自立支援、生活の確保、施設や病院から地域への移行が進められています。しかし、地域においては公的な福祉サービスだけでは対応できない生活課題や、公的な福祉サービスでの総合的な対応が不十分であることなどから生じる問題、社会的排除や地域の無理解から生まれる問題等があります。

　そこで、地域における多様な生活ニーズへの適切な対応をはかるうえで、成熟した社会における自立した個人が主体的にかかわり、支え合う、地域における「新たな支え合い（共助）」の領域を拡大、強化する

ことが求められています[9]。また、生活困窮者支援体系の構築と生活保護制度の見直しを総合的に進めるために**生活困窮者自立支援法**（2013（平成25）年）が制定されました。一方、高齢者領域においては、団塊の世代がすべて後期高齢者になる2025（令和7）年に向けて、増加する高齢者医療や介護費用の効率化、社会保障制度の持続可能性を図るため、地域における医療及び介護の総合的な確保を推進するための関係法律の整備等に関する法律（**医療介護総合確保推進法**、2014（平成26）年）が制定され、介護が必要な高齢者が住み慣れた地域で可能な限り暮らし続けることができるよう医療、介護、住宅、各種生活支援サービス等を地域で一体的に提供する**地域包括ケアシステム**の構築をめざしています。障害者領域においては、国連の障害者の権利に関する条約の締結に向けた国内法制度の整備の一環として、障害を理由とする差別の解消の推進に関する法律（**障害者差別解消法**）が2016（平成28）年4月から施行されています。さらに、厚生労働省は2015（平成27）年、「全世代・全対象型地域包括支援体制」という新しい福祉ビジョンを発表し、政府は2016（平成28）年に「我が事・丸ごと」地域共生社会実現本部を立ち上げました。今後は、住民の暮らしの場である地方自治体において、包括的な支援体制をいかに実現するかが問われています。

　このように、地域で暮らすすべての人を対象に、全世代対応型システムに向けた施策が模索されている現状にあります。このような政策動向のなかで求められているのが、「新たな支え合い」です。地域における新たな支え合いは、住民と行政との協働のもとに行われるものであり、地域住民は福祉のまちづくりの主体として欠くことのできない存在です。ボランティアやNPO、住民団体による活動など住民の地域福祉活動と公的な福祉サービスとのつながりをよりよくしていくことが重要になります。

　介護福祉職は、介護を通して住民にかかわる専門職として、地域の新たな支え合いの形成に積極的に関与していくことが求められています。その方法は、当事者・家族、住民を対象にした社会とのつながりや参加の支援、各種の介護教室の開催や相談窓口の設置、あるいは出前相談・出前指導などによる住民活動のバックアップ、あるいは地域ケア会議への積極的な参加など、専門的な知識や技能をいかしたかかわりが可能です。

◆ 引用文献

1）大川弥生『「よくする介護」を実践するためのICFの理解と活用——目標指向的介護に立って』中央法規出版、p.26、2009年
2）和気純子『高齢者を介護する家族——エンパワメント・アプローチの展開にむけて』川島書店、p.153、1998年
3）狭間香代子『社会福祉の援助観——ストレングス視点・社会構成主義・エンパワメント』筒井書房、p.158、2001年
4）荒川迪生監『リビング・ウィルを検証する——既に死期が迫っている状態と持続的植物状態』日本尊厳死協会東海支部岐阜研修会、p.6、2008年
5）内閣府編『高齢社会白書 令和3年版』pp.39-40、2021年
6）内閣府編『高齢社会白書 令和3年版』pp.40-41、2021年
7）東京大学高齢社会総合研究機構・飯島勝矢　作図（フレイル予防ハンドブックより）
8）三隅二不二編著『働くことの意味——Meaning of working life：MOWの国際比較研究』有斐閣、pp.61-99、1987年
9）これからの地域福祉のあり方に関する研究会報告『地域における「新たな支え合い」を求めて——住民と行政の協働による新しい福祉』全国社会福祉協議会、p.47、2008年

◆ 参考文献

● 西川満則・長江弘子・横江由理子編『本人の意思を尊重する意思決定支援——事例で学ぶアドバンス・ケア・プランニング』南山堂、2016年
● 角田ますみ編著『患者・家族に寄り添うアドバンス・ケア・プランニング——医療・介護・福祉・地域みんなで支える意思決定のための実践ガイド』メヂカルフレンド社、2019年
● 日本ソーシャルワーク教育学校連盟編『最新 社会福祉士養成講座・精神保健福祉士養成講座9 権利擁護を支える法制度』中央法規出版、2021年
● 日本リハビリテーション医学教育推進機構・日本リハビリテーション医学会監、久保俊一・佐伯覚総編集、三上靖夫・高岡徹・中村健編『社会活動支援のためのリハビリテーション医学・医療テキスト』医学書院、2021年
● 日本ソーシャルワーク教育学校連盟編『最新 社会福祉士養成講座・精神保健福祉士養成講座6 地域福祉と包括的支援体制』中央法規出版、2021年

演習4-1　利用者の意思決定を支援する

利用者の意思決定を支援するために、下記の場合、介護福祉職にどんなかかわりが求められるのか、整理してみよう。

1 家族を含めた話し合いの場で、利用者（Yさん）は「よろしくお願いします」をくり返し、どうしたいのかを表現しようとしない。

2 90歳の誕生日を迎えた利用者（Mさん）は、「この年齢までがんばってきたから、これからはつらい思いや痛いことなどは経験したくない」と言っている。

第2節 ICFの考え方

学習のポイント
- ICFにおける生活機能と各因子との相互作用について理解する
- ICFやストレングスの視点を介護の実践に応用する視点をもつ

関連項目
⑥『生活支援技術Ⅰ』▶第1章「生活支援の理解」
⑨『介護過程』▶第1章第1節「介護過程とは」
⑭『障害の理解』▶第1章第1節「障害の概念」

1 介護におけるICFのとらえ方

1 ICFとは

ICF（International Classification of Functioning, Disability and Health：**国際生活機能分類**）は、従来の**ICIDH**（International Classification of Impairments, Disabilities and Handicaps：**国際障害分類**）の改定版として2001年5月にWHO総会で採択されました。

ICFモデル（図4-5）は、障害やリハビリテーションの分野では早くから取り入れられていた概念ですが、介護保険制度下におけるケアマネジメントの領域でも定着してきています。施設、在宅を問わず、あらゆる専門職の共通言語として用いられる重要な概念だといえるでしょう。

従来のICIDHが**障害**という観点だけに着目していたことに対して、ICFの特徴は、**生活機能**という、より広い視野からプラスの側面に着目していることにあります。生活機能とは、人間が「生きる」ことをあらわす、3つのレベル（階層）（**心身機能・身体構造**（生物レベル）、**活動**（個人レベル）、**参加**（社会レベル））のすべてを含む包括概念です。この生活機能のすべての階層（レベル）と各因子（健康状態、環境因子、

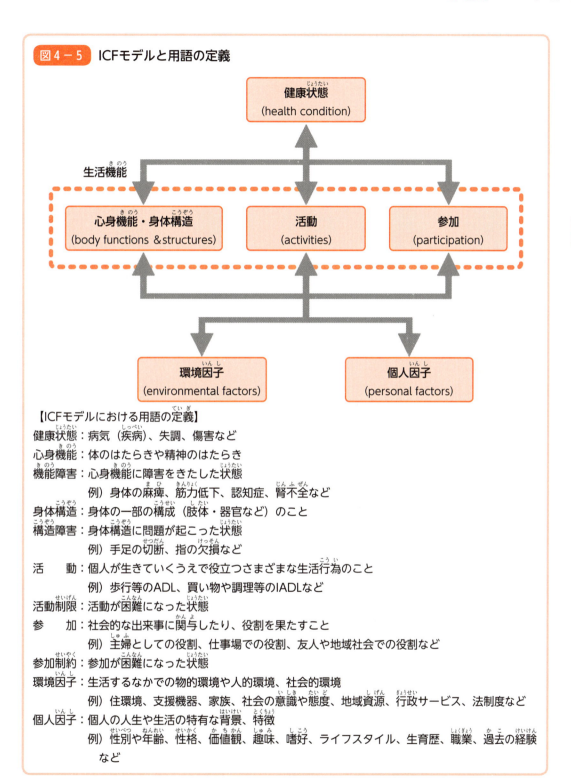

図4-5 ICFモデルと用語の定義

【ICFモデルにおける用語の定義】
健康状態：病気（疾病）、失調、傷害など
心身機能：体のはたらきや精神のはたらき
機能障害：心身機能に障害をきたした状態
　　　　　例）身体の麻痺、筋力低下、認知症、腎不全など
身体構造：身体の一部の構成（肢体・器官など）のこと
構造障害：身体構造に問題が起こった状態
　　　　　例）手足の切断、指の欠損など
活　　動：個人が生きていくうえで役立つさまざまな生活行為のこと
　　　　　例）歩行等のADL、買い物や調理等のIADLなど
活動制限：活動が困難になった状態
参　　加：社会的な出来事に関与したり、役割を果たすこと
　　　　　例）主婦としての役割、仕事場での役割、友人や地域社会での役割など
参加制約：参加が困難になった状態
環境因子：生活するなかでの物的環境や人的環境、社会的環境
　　　　　例）住環境、支援機器、家族、社会の意識や態度、地域資源、行政サービス、法制度など
個人因子：個人の人生や生活の特有な背景、特徴
　　　　　例）性別や年齢、性格、価値観、趣味、嗜好、ライフスタイル、生育歴、職業、過去の経験など

個人因子）とが相互に影響を及ぼし合う相互作用モデルとしてとらえることが重要です。

ICFの視点では、生活機能というプラスのなかにマイナス（障害や支障）があることを理解しなければなりません。障害や病気がある場合、できないことやリスクといったマイナス面に着目しがちですが、生活機能としてとらえることで、健常な機能・能力といったプラス面に気づくことが大切です。また同時に、顕在化・潜在化している能力や意欲を引き出すケアが求められています。従来の高齢者ケアでは、「マイナス（課題・問題）をなくす」ことに主眼がおかれ、できないことをおぎなう視点で援助が展開されていましたが、これからは「プラス（できること、したいこと）を増やす」といった発想の転換が求められています。

ICFは、利用者の心身機能や生活動作ばかりに着目してきた介護の視点をひろげて、利用者が役割を取り戻したり、社会とのかかわりをひろげたりすることを大切にするといった、本来のケアの本質に気づかせてくれるツール（道具）です。介護福祉職がICFを理解して現場で活用することは、利用者の生活機能を向上させることのみならず、介護福祉職自身の専門性を高めることにつながります。

2 ICFにみる相互関連性

図4-6では、脳梗塞を発症したケースを想定して、生活機能の低下の悪循環を示しています。脳梗塞後遺症による左片麻痺があり、歩行障害が生じている場合、日常生活での活動制限をきたして外出等の機会も減少してしまうといった右方向の悪循環が生じます。また、社会参加の機会が減少することで日常生活での活動性が低下するとともに、筋力低下の進行や関節の拘縮といった心身機能の低下をきたすなど、左方向の悪循環も生じます。このように、生活機能とは流動的で変化しやすいものです。また、生活機能は背景因子である環境因子や個人因子の影響を大きく受けます。介護力が低下したり、意欲低下をきたしていたりすると、生活機能の悪循環はよりいっそう促進されてしまいます。

図4-7では、生活機能の改善（良循環）をもたらすためのアプローチ方法や支援の方向性を整理してみました。介護福祉職の仕事は、「介護」だけではないことを、ICFモデルで説明していきたいと思います。

健康状態に関する介護福祉職の役割としては、介護やコミュニケー

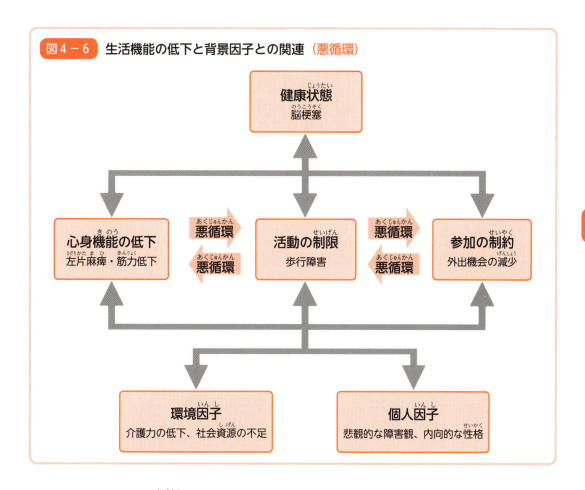

図4-6 生活機能の低下と背景因子との関連（悪循環）

ションを通じて、健康状態の安定をはかることが重要です。また、健康状態の変化を観察して、適時医師や看護師への報告・相談を行うなどの連携をはかることなどがあげられます。日常の観察力、洞察力が問われる重要な仕事です。そして、服薬管理や受診介助なども健康状態の安定をはかり、病状の進行を抑制する意味で大切な業務です。

　心身機能・身体構造に関する介護福祉職の役割としては、医師やリハビリテーションの専門職と連携して、訓練内容にそったケアを提供することなどがあげられます。歩行などの基本動作訓練の内容や留意点を、日常の介護場面でも参考にしてケアを提供することで、よりいっそう訓練の効果がえられやすくなるでしょう。

　活動に関する介護福祉職の役割としては、本人の能力や意欲を最大限に引き出しながら援助を行う、つまり自立支援を重視したケアを提供することが重要です。そのためには、活動能力を的確に把握して、改善が期待できる生活行為が何かをアセスメントする能力をみがかなければいけません。

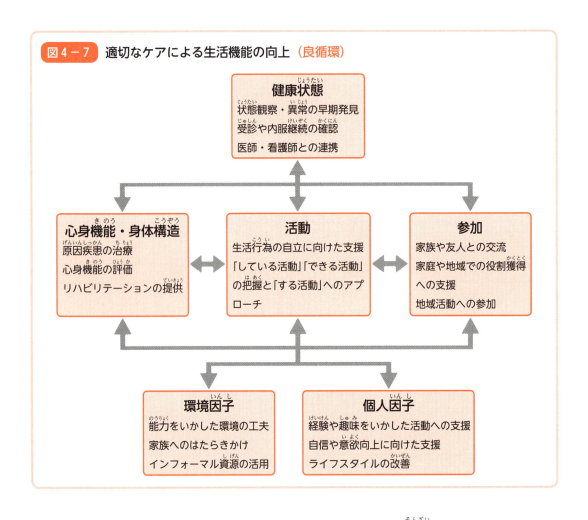

図4-7 適切なケアによる生活機能の向上（良循環）

　参加へのアプローチは、利用者が社会的な存在であり、家庭や地域での役割をもち続けることの重要性を理解することから始まります。なぜなら、社会参加や家庭や地域で役割を果たすことで、生活するうえでの目標をもち、生きる楽しみや喜びを利用者自身が実感できることが、健康状態や心身機能、活動を改善していくための原動力になるからです。
　環境因子に関する介護福祉職の役割としては、住環境の改善や福祉用具の導入等で利用者の能力を最大限に引き出し、安全性を向上させるといった物理的環境面への支援があります。また、それだけでなく、家族や友人といった人的環境への支援もここに含まれます。介護福祉職が介護にかかわり、支援をすることで、身体的な負担の軽減につながることはもちろんのこと、介護者への相談援助やコミュニケーションが精神的負担の軽減につながることも大きな意義があります。
　個人因子に関する介護福祉職の役割は、利用者がもつ特有の背景を理解したうえで、「その人らしさ」を大切にして向き合うことです。「どん

なことなら興味をもってもらえるのか声をかけてみよう」とか、「自分の気持ちを表出してもらうためには、このことを糸口に話しかけてみよう」といった個別のアプローチ方法がみえてくるかもしれません。利用者に個人的な背景があるように、介護福祉職にもそれぞれ個性がありますので、自分自身の性格や価値観などを理解したうえで、対人援助技術をしっかりと身につけて、実際の援助場面で活用していくことが大切です。

　これまで述べてきたように、日々の介護は、単に「作業」として提供されるのではなく、身体・心理・社会的側面から多角的にアプローチされなければなりませんし、利用者に合わせて柔軟に対応するといった個別性も求められるのです。

　ICFが「相互作用モデル」と呼ばれることからもわかるように、人間の生活機能は悪化にも改善にも多様に変化する可能性があります。つまり、ケアの質によって利用者の生活は大きく左右されるため、介護福祉職がアセスメントを行ったり、ケアの目標やケア内容を考えたりする際に、積極的にICFの視点を活用することで、個別的かつ質の高いケアを提供することが可能になるのです。

3　利用者のもつ「強さ」に着目する

　くり返しになりますが、ICFでは、マイナス面だけでなくプラス面をとらえることが重要です。この視点は、ストレングスモデル（strength model）という概念にも共通します。ストレングスモデルを提唱したラップ（Rapp, C.）は、利用者個人の強さ（ストレングス）を「熱望」「能力」「自信」などであると述べています[1]。この「能力」には、いわゆる残存能力だけでなく、利用者に秘められている潜在能力が含まれています。そのほかにも、「意欲」「社会性」「過去の経験」「習慣」「嗜好」など、利用者は多くの個別性豊かな強さをもっています。また、利用者の強さには、個人のなかにある内的資源だけでなく、家庭や地域社会などの利用者を取り巻く環境のなかにも、「人」「物」「機関」「社会関係」などの利用者を支えることのできる外的資源があります。

　地域に暮らす利用者の「個人の強さ（内的資源）」と「環境のもつ強さ（外的資源）」の例をあげてみます（図4-8）。

　図4-8のように、日常のなかに利用者が活用できるストレングス

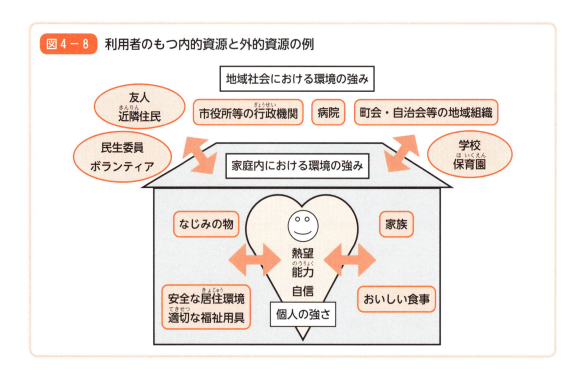

図4-8 利用者のもつ内的資源と外的資源の例

（強さ）は数え切れないほどあります。当然、これらは利用者の強みであると同時に、潜在していた強みを引き出す機会や手段になりうるものです。介護福祉職の資質や技術、チームワークがストレングスを強化する重要な鍵となります。

利用者のストレングスは千差万別です。大切なことは、利用者個人のストレングスと環境のもつストレングスを、介護福祉職がしっかりと把握することです。また、利用者自身がストレングスを自覚し、自分の望む生活をとらえることが何よりも重要です。高齢者のなかには、あきらめ感が強く、生活に対する希望や意向を主張しない人が少なくありません。その人らしい生活を実現するためにも、利用者1人ひとりのストレングスをアセスメントして、ケアにどのようにいかせるかを考え、実践していく必要性があります。

◆引用文献

1）C.A.ラップ、江畑敬介監訳、濱田龍之介・辻井和男・小山えり子・平沼郁江訳『精神障害者のためのケースマネージメント』金剛出版、pp.50-56、1998年

◆参考文献

- 障害者福祉研究会編『ICF国際生活機能分類──国際障害分類改定版』中央法規出版、2002年
- 大川弥生『介護保険サービスとリハビリテーション──ICFに立った自立支援の理念と技法』中央法規出版、2004年

演習4-2 高齢者のストレングス

❶ あなたの祖父母（おじいさん、おばあさん）との思い出を書き出してみよう。祖父母との思い出が記憶にない場合は、身近な高齢者をイメージして考えてみよう。

❷ ❶で考えた、あなたの祖父母や身近な高齢者がもっている「ストレングス（内的資源と外的資源）」に何があるか、なるべく多く具体的にあげてみよう。祖父母との思い出が記憶にない場合は、身近な高齢者をイメージして考えてみよう。

（内的資源）

（外的資源）

第3節

自立支援とリハビリテーション

> **学習のポイント**
> - 自立支援とリハビリテーションの基本的な考え方について理解する
> - リハビリテーションのなかでの介護福祉士の役割について理解する

関連項目
① 『人間の理解』　▶第1章第1節「人間の尊厳と人権・福祉理念」
④ 『介護の基本Ⅱ』　▶第4章「協働する多職種の機能と役割」
⑭ 『障害の理解』　▶第1章第2節「障害者福祉の基本理念」

1 リハビリテーションとは

リハビリテーション（rehabilitation）という言葉は、一般的に「リハビリ」という言葉で使われています。たとえば、何らかの障害によって歩くことがむずかしくなった人が、歩く練習を一生懸命にがんばっているとします。その人の練習そのものを「リハビリをがんばっている」という場合や、膝の痛みの治療に病院に通っているときの痛みの治療を「リハビリに通っている」と表現することがあります。しかし、リハビリテーションという言葉の本来の意味は、運動や練習、治療そのものを示すものではありません。

re（再び）- habilis（適応）-ation（すること）（図4－9）であり、再び能力をもつ、再び適応できるようになるという意味で、**権利の回復**

図4－9　リハビリテーションの意味

re（再び）- habilis（適応）-ation（すること）

「権利の回復」や「名誉の回復」を意味する

や名誉の回復などの意味をもちます。

たとえば、プロ野球の投手が肘や肩の故障で投げられなくなり、手術やその後の治療を受けてボールを投げることができるようになったとします。その治療行為だけをリハビリテーションというのではありません。治療からグラウンドに帰ってきて、チームのなかで役割をになっていくすべての過程をリハビリテーションとあらわすことになります。前述した、歩くことがむずかしくなった人が、練習をがんばったことで歩けるようになることは、歩けなかったときに比べて、その人の日常生活の質を上げることになります。そのうえで、趣味や社会的な活動など、さまざまな出来事に参加ができるようになります。その経過のすべてをリハビリテーションということになります。

しかし、心身の障害は治療や練習などによって、すべての人が元の状態に戻るわけではありません。歩く練習をがんばっていても、歩くことができずに車いすの生活になる人、膝の痛みの治療に病院に通っていても痛みが完治できずに杖を使い、立ち上がりや階段の上り下りに不自由をかかえつづける人、プロ野球の投手が肩の痛みが完治せず引退をしてしまうこともあります。このように完治できずに、元のからだに戻ることや、元の生活を送ることができない人々のリハビリテーションはどのように考えるのでしょうか。リハビリテーションの歴史や概念、背景などを通して理解しましょう。

1 リハビリテーションの概念

私たちが何らかの原因で自分らしく生きていくことができなくなったときに、再び自分らしい状況になることを**リハビリテーション**といいます。これは、病気やけがにともなう医学的な治療や練習ばかりではなく、職業能力の開発や教育、経済的・社会的な支援を受けることも含みます。

歴史的にリハビリテーションという言葉の起源は、中世のヨーロッパにさかのぼります。その時代には、主に宗教的な意味合いが強く、破門の取り消し、身分や地位の回復などの意味で使われていました。現代になると、犯罪者の更生や社会復帰に用いられることが増えて、人間全体の価値や尊厳にかかわる、人権や名誉、資格の回復などを意味するようになってきました。現在、日常的に用いられている、医学的な治療や練

習、障害を負ってからの社会復帰といった福祉的な意味が強くなったのは第１次世界大戦後からです。

　リハビリテーションの概念として、re（再び）という言葉が入っていることで、健常な状況にあったものがなんらかの出来事によって、心身に障害を負った場合の権利を回復することをさしています。しかし、生後すぐに身体的・精神的に障害のある子どももいます。その場合、もっている能力を可能な限り伸ばし、社会に適応できるような支援をすることになります。このことは**ハビリテーション**（habilitation）といいます。

（１）リハビリテーションの理念

　人間はだれでも生まれながらに、人間として人間らしく生きる権利をもっています。しかし、病気やけが、障害などによってその人らしい生活ができなくなることもあります。リハビリテーションの理念は、そのような人々のその人らしく生きる権利を回復する**全人間的復権**なのです。

（２）リハビリテーションの考え方とその背景と歴史

　リハビリテーションの考え方は時代とともに変化してきました。現在では"全人間的復権"という考えで、どのような障害のある人でも、社会のなかで、その人らしく生きていくこととなっています。このような考え方にいたる歴史をみてみましょう。

1 自立生活運動（IL運動）

　1960年代にアメリカのカリフォルニア大学バークレー校で、重度の身体障害をもつロバーツ（Roberts, E.）が入学時に、段差などの環境上のバリアのある学生寮に入寮できなかった経験から、障害のある学生による**自立生活運動**（IL運動：Independent Living Movement）が起きました。これは"障害者にもみんなと同じ権利を"と掲げた、障害のある大学生の抗議運動です。地域社会や大学構内の**アクセシビリティ**❶を求める運動組織を結成し、あわせて大学が行っている障害のある学生の管理システムについても問題提起をしました。この運動の主張は、介護側の便宜のために施設に収容されて、サービスを提供される毎日を拒否することで、"重度の障害があっても自分の人生を自立して生きる"ことでした。彼らが提唱した自立生活支援サービスの３つの原則は次のとおりです。

❶アクセシビリティ
障害者や高齢者を含むだれもが、目的とする場所への経路において支障なく利用できることあるいはその度合いをいう。ここでは、移動をともなう経路をいうが、昨今はインターネット上のホームページなどへのアクセスのしやすさなどにも使われる。

① 障害者のニーズを知るのは障害者自身である
② 障害者のニーズは多様なサービスを統合的に提供することで効果的となる
③ 障害者はできるだけ地域社会に統合されるべきである

　これは、それまでの専門職が中心となった援助から、自ら決定することが自立であるという概念に変えました。これによって、"他人から援助を受けないことを自立とするのではなく、援助を受けてもみずから選択し決定することが自立"ということの概念を世の中に広めることができ、現在の自立という概念の基礎となりました。

2 ノーマライゼーション

　ノーマライゼーション（normalization）は、1960年代に北欧で起こった障害者福祉の社会理念の1つです。その考えはデンマークでの知的障害者への援助方法からの反省で、始まりは1951年に結成された知的障害児親の会の願いからでした。その願いとは、

① 1500人収容する大型施設を20人から30人の小規模な施設にしてほしい
② 社会から分離されている施設を親や保護者の生活する地域につくってほしい
③ 障害のない子どもたちと同じような教育を受ける機会をつくってほしい

というもので、親たちの願いを象徴的に表現する言葉として"ノーマライゼーション"という言葉が使われました。

　"障害のある人を特別扱いし排除するのではなく、障害があっても多くの人たちと平等に普通に生活できる社会があたりまえの社会である"という考え方です。

　これは、目の悪い人が眼鏡やコンタクトレンズといった補助器具を使用することで、多くの人と同じ生活を送ることができるのと同じことです。また、歩くことがむずかしい人は、車いすという補助器具を使うことによって移動が保障されます。しかし、車いすを使っている人は段差のあるところや、狭い空間のトイレには入れないため、買い物や旅行に行く場合にも、段差がないところや広いトイレがあるとわかっているところにしか安心して行くことができません。しかし、世の中のすべての段差のあるところにスロープやエレベーター、リフトなどがあり、すべてのトイレが車いすで入ることのできる広い空間のトイレであれば、車

いすを使っている人も、安心してどこにでも行くことができます。このように、ノーマライゼーションとは、その人を取り巻く環境を社会が整えることによって、さまざまな障害のある人が、障害のない人と同様の生活を送ることができるようにしようとする考え方です。

3 インクルージョン

インクルージョン（inclusion）は「包含、含めること、包括、組み入れ（社会的な）」という意味をもちます。教育や福祉の領域では"障害があっても地域で地域の資源を活用し、市民とともに生きる**共生社会**❷をめざす"という理念としてとらえられています。

このインクルージョンが注目を集めるきっかけになったのは、1994年に**ユネスコ**❸の特別ニーズ教育世界会議において採択された「サラマンカ宣言」です。この宣言は"すべての人を含み、個人主義を尊重し、学習を支援し、個別のニーズに対応する活動の必要性"を訴えています。

これまでのわが国での障害児教育は、障害児学級や養護学校、盲学校、聾学校などの、障害のない子どもたちと別な教育の場でした。このように、教育の場が分けられることで、差別や偏見が強まり、障害のある子どもたちを理解することができずに特別な目で見ることにつながっていました。その後、障害のある子どもと、障害のない子どもの教育の場をいっしょにする共同学習が行われましたが、1人ひとりにあった教育まではなかなかうまくできませんでした。今後は、1人ひとりに必要な支援ができるようなインクルージョンとしての教育システムが必要だと考えられています。このようなインクルージョンの考え方は、障害児の教育だけに限ったことではなく、地域に暮らす障害のある人々、高齢者、生活弱者の人たちに対しても共通の考え方となります。

> ❷ **共生社会**
> これまで必ずしも十分に社会参加できるような環境になかった障害者等が、積極的に参加・貢献していくことができる社会である。それは、だれもが相互に人格と個性を尊重し支え合い、人々の多様なあり方を相互に認め合える全員参加型の社会である。（文部科学省ホームページより）
>
> ❸ **ユネスコ**
> 国際連合教育科学文化機関（United Nations Educational, Scientific and Cultural Organization：U.N.E.S.C.O.）。諸国民の教育、科学、文化の協力と交流を通じて、国際平和と人類の福祉の促進を目的とした国際連合の専門機関。（文部科学省ホームページより）

2 リハビリテーションの実際

リハビリテーションの目的と役割

リハビリテーションは、心身の障害によって、その人がその人らしいふつうの生活を送ることができなくなったとき、生活の維持や向上をはかることを目的とした心身両面へのアプローチです。

第3節　自立支援とリハビリテーション

　身体面では、障害そのものの軽減をはかるように回復に努め、回復の可能性が低くなった場合にも、潜在能力の開発や残存する能力をいかす治療や練習を行います。これらによって、寝る、起きる、立ち上がる、歩くなどの基本動作を習得し、トイレでの排泄やお風呂での入浴、食事などのADL（Activities of Daily Living：日常生活動作）につなげます。しかし、ここまでは生活の基盤となる部分であり、QOL（Quality of Life：生活の質）の向上には趣味や社会のなかでの役割や活動をえることが大切となります。そのため、「活動」や「参加」という視点をもってアプローチすることが大切となります。ただし、心身機能はその後の人生のなかで大きく変化していきます。その変化に合わせて対応する力をつけてもらうことも大切です。たとえば、いつもは杖も使わずに歩いている人が、ふらふらしてうまく歩けないという日があったとします。このような場合には本人や家族はどのようにすれば安全に行動できるのか、また、だれに相談すればよいのかなどを知っていることが大切です。安全管理の面からも杖や手すりの使用など、みずから判断できる力をつけてもらうことも大切です。

　心理・精神面では、みずからの障害に向き合い、みずからの存在を肯定し、活動や参加をみずから決定できるように支援することが大切です。ただし、支援者の心構えとしては、本人の価値観を尊重し、支援者がみずからの価値観を押しつけないことが大切になります。

2　リハビリテーションの体系

　リハビリテーションの体系は1968年に世界保健機関[4]（WHO：World Health Organization）において、おもに病院などの医療機関で行われるものを医学リハビリテーション、障害のある子どもや心身に障害のある大人などに対し教育する機会を提供するものを教育リハビリテーション、障害者がふさわしい雇用を獲得し、または職場に復帰することができるように計画された職業的サービスの提供を職業リハビリテーション、障害のある人が社会的な不利を受けないように、バリアフリーなどの障害者にやさしい環境やまちづくり、所得の保障、教育の機会、法整備などの社会的な条件を整備することを社会リハビリテーションと呼び、リハビリテーションの4つの分野と定義づけられました。4つの分野は相互に関係し協力し合うもので、それぞれ独立しているもの

[4]世界保健機関
「すべての人々が可能な最高の健康水準に到達すること」を目的として設立された国連の専門機関。1948年4月7日の設立以来全世界の人々の健康を守るため、広範な活動を行っている。現在の加盟国は194か国であり、わが国は、1951年5月に加盟した。（厚生労働省ホームページより）

第4章　自立に向けた介護

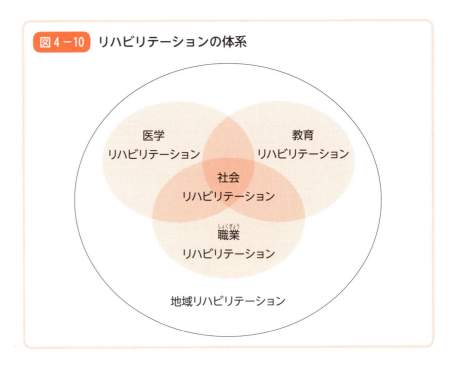

図4-10 リハビリテーションの体系

ではありません。近年では4つの分野に加え、障害のある人たちばかりではなく、その地域に暮らす子どもから、大人、高齢者まですべての人の健康、活動、参加を支援していくという**地域リハビリテーション**という考えを加え、5つの分野を総合的にとらえる動きとなってきています（図4-10）。

3 リハビリテーションの領域

（1）医療保険領域のリハビリテーション

医療保険におけるリハビリテーションは、病院を中心として医療機関がになうことになります。そのリハビリテーションは、疾病の時期によって、**急性期リハビリテーション**、**回復期リハビリテーション**、**生活期（維持期・慢性期）リハビリテーション**に分類できます。急性期では生命の維持を目的とし、回復期では失った能力の回復と潜在能力の開発、残存能力をいかした日常生活機能の回復が大きな目的となります。また、生活期（維持期・慢性期）では生活するうえでの活動や参加を支援するとともに、運動機能や生活機能の低下にともなうADLの低下を予防することになります。

昨今の日本の法制度の改正方針は、高齢者の生活期（維持期・慢性

期）は介護保険サービスにおけるリハビリテーションに移行してきています。

（2）介護保険領域のリハビリテーション

介護保険法第4条第1項では、「要介護状態となった場合においても、進んでリハビリテーションその他の適切な保健医療サービス及び福祉サービスを利用することにより、その有する能力の維持向上に努めるものとする」とあり、リハビリテーションの重要性が示されています。そのため、施設系サービスや通所系サービス、訪問系サービスの多くで取り組まれています。その目的は**活動**と**参加**に焦点をあてた生活期のリハビリテーションプログラムです。たとえ歩くことができても、歩く目的がないと歩かなくなり、歩けなくなってきます。もっている能力を十分に活用し、生活範囲を広げて目的をもった活動を行うことが機能の低下の予防につながります。このことはベッドから起き上がることがむずかしい重度の障害のある人であっても、さまざまな情報ツールなどを活用し、ほかの人たちとふれあい、生きがいをもった価値のある生活を営むことで精神的な自立につなげることができます。

（3）障害者福祉領域のリハビリテーション

日本のリハビリテーションは障害者を対象として形づくられてきました。その発展は、身体障害、知的障害、精神障害として分けられていたものが2005（平成17）年に**障害者自立支援法**が成立し、2006（平成18）年より施行されることにより一本化されました。なお、この法律は、2012（平成24）年に**障害者の日常生活及び社会生活を総合的に支援するための法律（障害者総合支援法）**に改正され、2013（平成25）年に施行されています。このなかでリハビリテーションは、全人間的復権をかかげて機能訓練や職業訓練、社会、教育、地域などへの適応能力を高めることを目的に実践されています。

4 リハビリテーション分野に従事するおもな専門職

（1）理学療法士

　理学療法士（PT：Physical Therapist）は、病気、けが、高齢、障害などによって運動機能が低下した状態にある人に対し、運動機能の維持・改善を目的に行う運動療法や、温熱、電気、水、光線などを用いた物理療法などの理学療法を実施する専門職です。理学療法士及び作業療法士法で理学療法は「身体に障害のある者に対し、主としてその基本的動作能力の回復を図るため、治療体操その他の運動を行なわせ、及び電気刺激、マッサージ、温熱その他の物理的手段を加えることをいう」とあります。運動療法や物理療法をおもな手段として、本人の運動機能の獲得や、基本的な姿勢、動作の習得、また、その動作をもとに生活機能を高め、社会での活動や参加へつなげる役割をになっています。

（2）作業療法士

　作業療法士（OT：Occupational Therapist）は、基本的な運動能力から、社会のなかに適応するまでの、基本的動作能力や応用的動作能力、社会的適応能力の3つの能力を維持、改善し、その人らしい生活の獲得を「作業」を通して作業療法を実施する専門職です。理学療法士及び作業療法士法で作業療法は「身体又は精神に障害のある者に対し、主としてその応用的動作能力又は社会的適応能力の回復を図るため、手芸、工作その他の作業を行なわせることをいう」とあります。作業療法をおもな手段として、生活機能を高め、社会での活動や参加につなげる役割をになっています。

（3）言語聴覚士

　言語聴覚士法で言語聴覚士（ST：Speech-Language-Hearing Therapist）の業務は「音声機能、言語機能又は聴覚に障害のある者についてその機能の維持向上を図るため、言語訓練その他の訓練、これに必要な検査及び助言、指導その他の援助を行う」とあります。しかし、実際には、言語や聴覚ばかりではなく、音声、認知、発達、摂食・嚥下にかかわる障害に対しても、必要に応じて訓練や指導、支援などを行う専門職です。とくに、昨今は摂食や嚥下についても、ほかの専門職とと

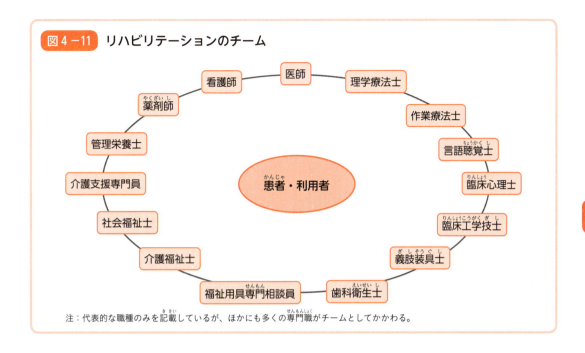

図4−11 リハビリテーションのチーム

注：代表的な職種のみを記載しているが、ほかにも多くの専門職がチームとしてかかわる。

もに中心となって支援しています。

　理学療法士、作業療法士、言語聴覚士を一般的に**リハビリテーション専門職**と呼びます。また、一般的には3つの専門職を合わせて**セラピスト**と呼ぶこともあります。しかし、リハビリテーションは、医学・教育・職業・社会・地域と多くの分野で実践されていますので、理学療法士や作業療法士、言語聴覚士ばかりではなく、医師や看護師、社会福祉士、臨床心理士、介護福祉士、義肢装具士、介護支援専門員、福祉用具専門相談員などの多くの専門職種が集まり、チームとして行われることになります（図4−11）。このことを**チームアプローチ**と呼び、絶えず連携して、情報を共有し、共通の方針をもち、障害のある人々のリハビリテーションを支援することになります。各専門職および多職種連携については、『介護の基本Ⅱ』（第4巻）第4章を参照ください。

5 生活を通したリハビリテーション

　リハビリテーションにおける練習プログラムには、リハビリテーション専門職が直接、個別に行う、筋力や体力の向上、バランスの向上を目的とした練習や、寝返りや起き上がり、歩くなどの動作の練習、活動の

練習などがあります。また、ほかの高齢者と一緒に集団で行う体操や趣味活動などもあります。それ以外にも専門職から提示された練習プログラムを自主的に行うこともあります。しかし、これらはその時間だけの練習であり、自主練習などはなかなか続くものではありません。高齢者や障害をもつ人々は、もともと活動量が少なくなりがちで、体力や運動機能の低下につながりやすく、イベント的な練習や自主的な練習だけでは不十分です。そこで大切なことはそれ以外の時間の使い方です。

　個別や集団での練習以外の時間をベッド上で休んだり、テレビの前にずっと座っているだけでは身体機能ばかりか活動意欲も低下していきます。日常的に行う生活活動をできるだけ広げ、できることはみずからの力で取り組んでもらうことが大切です。できることは自分で、できないことはできるところだけでもやれるように支援します。全面的に介助者が介助するのではなく、やれることはやれるように環境を整えサポートします。たとえば、入浴時の洗体も介助者がすべて行うのではなく、手が届く範囲は自分でやってもらいます。着替えでは、時間がかかってきれいに整えられないからと手伝うのではなく、シャツやズボンもできるところまでやってもらい、最後の整えるところは手伝うなどです。そのことによって、立ったり、座ったり、歩いたり、向きを変えたり、身体を傾けたり、手を伸ばしたりなどで、筋力やバランスを使う機会も増え、練習にもなります。また、周囲の状況を確認し、物事の手順を考えるといった機会にもなり、認知機能や高次脳機能の練習にもつながります。結果的に、動作や行為を学習することで、できなかったことができるようになることや、不安定だったものが安定してきたということにつながることもあります。同時に、できないことができるようになることや、役割をもって人の役に立つことは、みずからの存在意義にもつながるため精神的な影響も大きいといえます。

　このようにリハビリテーションは専門職が提供するものばかりではなく、生活行為や動作を通した活動で維持改善を図ることも大切です。これが生活を通したリハビリテーションです。

　リハビリテーションとして取り組む生活行為や動作は、基本的なトイレや入浴、食事などばかりではなく、掃除や洗濯、調理、食事時の配膳や下膳などさまざまです。ただし、いっしょにやりましょうとお願いしてもまったくやったことがないことや、そもそも興味のないことはやれません。これまでどのような生活をしていたのか、どんなことに興味が

あって、どんなことに関心があるのかなど、本人や家族に事前にしっかりと確認しておくことが大切です。高齢の男性のなかには、今まで自分で靴下をはいたことがないという人もいました。自分たちの価値観で当然と思わず、その人の立場で提案することが大切です。

しかし、このような生活を通したリハビリテーションには注意も必要です。不安定な姿勢や動作となることも多く、転倒などのリスクにもつながります。このような場合に大切なことは、安全の確保と安全性の高い動作や姿勢です。介助者は生活行為の最中、本人から目を離さずに、バランスを崩しても支えられる位置にいること、本人が安定した姿勢や動作のしやすいいすやシャワーチェア、手すりの設置などの環境にも配慮が必要です。また、もう1つ注意しなければならないこととして、見守りや軽介助でやっている生活行為を本人は自分1人でやれているという気になることもあります。だれもいないときに1人でやろうとして転倒などの事故につながることもありますので、取り組む際にはスタッフ間でしっかりと共有し検討します。リハビリテーション専門職などと本人の動作の特性や注意点、どのような形で環境を整えるのかなど連携して取り組みましょう。

3 リハビリテーションを考えるうえでの障害の理解と評価

1 健康の概念

健康とは、一般的には身体が健全であることや病気にかかっていないことをいいます。しかし、慢性疾患にかかっていても、治療によって病気をコントロールして元気に仕事や活動をしている人も多くいます。また、逆に健康そうな人がやる気がなかったり、精神的に不安が強かったりとこころに病をかかえている場合もあります。世界保健機関（WHO）憲章の前文では、健康を、「完全な肉体的、精神的及び社会的福祉の状態であり、単に疾病又は病弱の存在しないことではない」と定義しています。病気があれば不健康ということではないのです。また、同様に歩くことができない障害のある人でも、歩けないだけで病気

もなく健康である人も多くいます。障害によって日常生活が不自由な人を見て不健康と思うのではなく、障害のある場合でも、心身ともに健康であることが大切となります。これによって、さまざまなことをみずから決定し、社会のなかで活動や参加ができることになります。

2 障害のとらえ方

❺ICF
p.172参照

障害のとらえ方には、ICF❺の概念とICIDHというとらえ方があります。障害に関する国際的な分類としては、世界保健機関（WHO）が1980年に「国際疾病分類（ICD）」の補助として発表したWHO国際障害分類（ICIDH：International Classification of Impairments, Disabilities and Handicaps）が用いられてきました。しかし2001年にその改定版として国際生活機能分類（ICF：International Classification of Functioning, Disability and Health）を採択しました。

ICIDHは機能障害、能力障害、社会的不利という3つの段階で考えます。たとえば足の力が弱い（機能障害）から、歩くことができない（能力障害）、そのために外出が困難（社会的不利）といった考え方です。これは、急性期や亜急性期の医療やリハビリテーションの現場では、治療や練習プログラムを立てる場合の考え方としては使いやすい考え方です。この人であれば、足の筋力を強くする練習をして歩くことにつなげようという考えになってきます。

しかしICIDHでは、歩くことができない人に車いすが使える環境をつくって、車いすを使って社会参加をしてもらう、という考えにはなりにくいため、ICFという考え方が生まれてきました。医療の現場ではどのようにすれば歩けない人を歩けるようにできるかと考えますが、地域や在宅などの福祉の現場では、歩けない人は車いすを使って社会参加してもらうという思考になります。ICIDHの改定版がICFですが、基本的な考え方が違いますので、それぞれの考え方を理解して、上手に使い分けができるとよいでしょう。

3 ADLの概念と評価方法

リハビリテーションの医学評価内容の1つにADLがあります。この

ADLの評価は日々の生活のなかでどのように活動しているかを評価するもので、チームとして共有し、目標の設定やリハビリテーションプログラムの作成が行われます。この評価は、健常者を基準として量的、質的な比較によって記録されますが、その際の細かな観察もしっかりと行うことが大切です。

現在、医療や介護サービスの現場では、事業所のサービスの質を改善成果として**アウトカム評価**という形で示すことに用いられています。患者や利用者の入院時や退院時、入所時や退所時、利用開始時と利用終了時の評価の差によって、治療やサービス効果の高い事業所か否かの判断をされることも多くなっています。

ADLの評価手段として一般的に広く使われているものとして、**バーセルインデックス**（Barthel Index）と**FIM**（フィム：Functional Independence Measure）があります。

ADLをより拡大したものに、**IADL**（Instrumental Activities of Daily Living：**手段的日常生活動作**）という考え方があります。基本的なADLが自分自身の屋内での活動を中心とした評価であるのに対し、IADLは「バスや電車を使って外出できるか」「日常品の買い物ができるか」「預金の出し入れができるか」など地域生活を考えた評価となります。

QOLの概念

ADLとは違う概念として、**QOL**という概念があります。これは**生活の質**を意味するものです。障害が重度であっても、みずから決定してさまざまな支援を他者に依頼したうえで、活動や参加をしている人もいます。また、障害は軽度で日常生活はすべて自立しているものの、みずから何も決めることもなくまわりの意見に流されて、毎日ただテレビの前に座り眺めているだけの人もいます。このような場合、どちらのほうが質の高い生活でしょうか。生活の質は、障害の程度ではなく、その人が**その人らしい生活**を営むことができる度合いをみることです。

4 リハビリテーションのなかでの自立のとらえ方

　人は人生の時期によって、他者との関係性に変化が起こります。その変化を理解していないと、その人の自立に関する価値判断に食い違いが起こり、適切な支援はできません。幼年期では、親の見守りのなかで親の価値観をもとに、みずからの価値をつくり上げていきます。たとえば、公園で遊ぶ際にも、見守る親の顔を見ながら、これは遊んでいいものなのかどうかを判断し、許されているものに関しては、徐々に親の顔色を見ずに遊びはじめます。少年期では、価値判断の基準が友達や先生、近所の人といった違う価値観のなかでみずからの価値観をつくり上げます。また、青年期になると社会という価値観に戸惑い、壮年期や中年期になればみずからの価値観が周囲に影響を及ぼす存在となります。高齢期になれば、それまでにつくられた価値観から離れることができずに、変化を柔軟に受け入れることができなくなります。幼年期から高齢期に進むにつれて、多様な価値観となってきます。人は長く生きるほど、多くの別々の経験を積み重ねますので、個々人でまったく違う価値観をもつことになります。

　また、価値観ばかりではなく、自立の意味も変わってきます。幼年期や少年期、青年期では親など経験をもった支援者の決めた大きな枠の中で、みずからの決定を行います。しかし、青年期の後半からはみずからのことはみずからが決めることになり、壮年期や中年期では、他者の出来事に関しても選択をしなければならなくなります。しかし、高齢期になるとどうでしょうか。それまで、みずからの選択ばかりでなく他者の選択までしていた人が突然、高齢になったことを理由に子どもやまわりの人、専門家といわれる人が、なすべきことを選択してくれるようになってしまいます。ある意味、みずからの存在を否定されたような気持ちになってしまうのです。加えて、何らかの原因で障害を受け、からだが不自由になり、介護が必要になったとします。みずからの価値観で判断し行動したくても、からだが思いどおりにできない分だけ、みずからの主張を抑えつけて伝えることをあきらめてしまうことや、逆に攻撃的に主張することなどが起きるのです。

　自立の支援の際には、このようなことを十分に頭に入れて、この人はどのような人生を歩み、どのような価値観のなかで生きてきて、何を決

めてもらうのか、しっかりと理解することが大切となります。

　高齢期でからだが不自由になると、日常的に他者の助けが必要となります。そうなると、日常的に使う言葉が他者に感謝をする「ありがとう」という言葉になります。壮年期や中年期では他者から感謝されることが多かった人が、高齢期になってからだが不自由になったとたん「ありがとう」と言われることがほとんどなくなり、「ありがとう」と言いつづけることになります。みずからの尊厳や存在意義を失い、自立への意識を失っていきます。リハビリテーションとして自立を支援するのであれば、子どもや孫、近所の人に「ありがとう」と言われる存在でありつづけられるような支援が大切になります。

5 リハビリテーションにおける介護福祉士の役割

　障害のある人が、みずから決定した自分らしい質の高い生活を営むには、ADL能力だけが条件ではありません。重度の障害がある人であっても、周囲の人たちの支えによって、みずから選択・決定し、自立した生活を営むことができます。このとき、もっとも身近でその人を理解し支援できる存在が**介護福祉士**です。これまで述べてきたように、リハビリテーションは、心身に障害のある人々の全人間的復権を理念として、単なる機能回復訓練だけでなく、潜在する能力を最大限に発揮し日常生活の活動を高め、家庭や社会への参加が可能になるよう、その自立をうながすものです。

　ここで介護福祉士は、理学療法士や作業療法士、医師、看護師等と情報を共有して、訓練場面で身につけたADL能力を、生活場面（自然な1日の生活の流れのなか）で、活用できるよう支援し、室内にとどまらず地域へつなげていくことが求められます。

　訓練室で**「できるADL」**を、困難なくあたりまえに生活のなかで**「しているADL」**につなげるためにも、他職種との情報共有と目標設定が重要になってきます。日々の生活場面で行われる日常生活動作は貴重なリハビリテーションになります。その生活のなかで行われるリハビリテーションをおもににになっている介護福祉士は、正しい利用者の状態像（できるADL）をリハビリテーションの専門職と情報共有し、生活場面でのリハビリテーションにいかしていくことが必要です。

つまり、利用者の生活機能の個別性を尊重し、その多様性を認めて、個人の生活機能にあわせた目標設定と介護計画をたてる必要があります。そのために日々、職員間のコミュニケーションが重要になります。

　たとえば、お風呂に1人で入れない場合、まず何ができて何ができないのか、どうすればお風呂に入ることができるのか、リハビリテーション職の人を中心に行程を分析します。そして介護福祉士がどうかかわるかを共有し、介護福祉士はそれを実践します。実践の結果うまくいかなかった場合は、何が問題なのかをいっしょに考え、計画の見直しを行い実践することを再度くり返します。ここで大切なことは、自立を支援するという視点です。介護福祉士の役割は、利用者の心身の状況にあわせて、直接的かつ具体的にその行為を代行したり、おぎなったり、その人の考えを引き出しいっしょに考えていく等の支援を行うことであるといえます。

　自立を支援する介護では、その過程で転倒等の事故が発生する危険性もはらんでいます。しかし、そうしたリスクに気づく能力、根拠にもとづく適切な介護技術等を提供できるよう、知識・技術の習得を心がける必要があります。

◆ 参考文献
- 上好昭孝・田島文博編著『リハビリテーション概論——医学生・コメディカルのための手引書 改訂第3版』永井書店、2014年
- 中村隆一・佐直信彦編『入門リハビリテーション概論 第7版増補』医歯薬出版、2013年
- 砂原茂一編『リハビリテーション医学全書1 リハビリテーション概論 増補』医歯薬出版、1998年
- 石川誠編著『高齢者ケアとリハビリテーション——回復期リハと維持期リハ』厚生科学研究所、2000年
- Mahoney,F.I.& Barthel, D.W., 'Functional evaluation: the Barthel Index', *Maryland State Medical Journal*, 14,1965.
- 正門由久ほか「脳血管障害のリハビリテーションにおけるADL評価——Barthel indexを用いて」『総合リハビリテーション』第17巻第9号、1989年
- 日本リハビリテーション医学会監、リハビリテーション医学白書委員会編『リハビリテーション医学白書 2013年版』医歯薬出版、2013年
- 鶴見隆正編『日常生活活動学・生活環境学 第2版』医学書院、2005年
- 厚生労働省「中央社会保険医療協議会 診療報酬改定結果検証部会（第54回）」資料、2017年

演習4-3　リハビリテーションの理念

次の文章の空欄に適切な語句を入れ、リハビリテーションの理念について理解を深めよう。

- 人間はだれでも生まれながらにして、人間らしく生きる ①＿＿＿＿＿ をもっています。しかし、病気や障害などによってその人らしい ②＿＿＿＿＿ ができなくなることもあります。リハビリテーションの理念は、そのような人々のその人らしく生きる ①＿＿＿＿＿ を回復する ③＿＿＿＿＿ です。

演習4-4　リハビリテーションにおける介護福祉士の役割

1 利用者やその家族に「リハビリテーションの目的」を説明するとしたら、どのように説明しますか？　グループで話し合ってみましょう。

2 利用者やその家族にリハビリテーションにおける介護福祉士の役割をどのように説明しますか？　なるべくわかりやすい表現で説明できるよう、グループで話し合ってみましょう。

第**4**節

自立支援と介護予防

学習のポイント
- 自立支援と介護予防の基本的な考え方を理解する
- 介護予防のなかで介護福祉士の役割について理解する

関連項目 ②『社会の理解』▶第4章第3節「介護保険制度」

1 介護予防の概要

　高齢者の心身の特性として老年症候群といわれるものがあります。**老年症候群**は、加齢にともなってあらわれる症状や徴候の総称です。これは、医師の診察や介護、看護を必要とするものです。代表的な症状や徴候としては、動悸や息切れ、めまい、しびれ、尿失禁、転倒、不眠、ADL（Activities of Daily Living：日常生活動作）の障害、うつ、閉じこもり、認知機能の低下（軽度の認知症）、食欲不振などがあり、生理的老化によるものと病的老化によるものなど50項目以上あります。このような老化にともなうからだの不調は、日常的な生活活動をさまたげて、社会的な参加の機会を少なくしていきます。結果として、心身機能を低下させて、その人の社会的な活動や参加の意欲や参加の機会を失わせてしまいます。

　介護予防は、このような加齢にともなう心身の変化から**活動**や**参加**の機会を守り、要介護状態にならないように、健康であり続けるようにしていくことを目的に行われています。

1 平均寿命と健康寿命

　2017（平成29）年の厚生労働省の発表によると、日本の2016（平成28）年の**平均寿命**は、男性が80.98歳（世界第2位）、女性は87.14歳

(世界第2位)でした(表4-1)。平均寿命は、日本において死亡する人の状況が今後変化しないと仮定したときに、0歳児が平均的にあと何年生きることができるかをあらわしているものです。そのため、医療の発達などによって今後も大きく変化していきます。しかし、この平均寿命は要介護状態になった人も含まれます。そのため、それとは別に、健康で日常生活に制限がなくさまざまな社会活動を行える寿命を**健康寿命**であらわします。同じく2017(平成29)年の厚生労働省の発表によると、2016(平成28)年の健康寿命は男性で72.14歳、女性で74.79歳でした(表4-1)。そのため2016(平成28)年の平均寿命と健康寿命の差は、男性が8.84年、女性が12.35年となります。この期間は、何らかの不健康な状況で生きているということになります。この差を小さくしていくことが、社会保障費を少なくすることにつながるとともに活気ある社会をつくることにつながります。

表4-1 平均寿命と健康寿命

(2016年)

	男性	女性
平均寿命※1	80.98歳	87.14歳
健康寿命※2	72.14歳	74.79歳

※1:平均寿命とは、日本の死亡する人の状況が今後変化しないと仮定したときに、0歳児が平均的にあと何年生きることができるかをあらわしているものである。
※2:健康寿命とは、健康で日常生活に制限がなくさまざまな社会活動を行える寿命である。
資料:2017年厚生労働省発表

2 介護予防の目的と考え方

厚生労働省によると、**介護予防の目的**(表4-2)は、「高齢者が要介護状態等となることの予防又は要介護状態等の軽減若しくは悪化の防止を目的として行うもの」とあります。健康な高齢者は、要介護状態にならないようにし、すでに要介護の状態にある高齢者は、状態の悪化を防ぐとともに改善をはかります。そのためには、ICF❶(International Classification of Functioning, Disability and Health:**国際生活機能分類**)の考え方にもとづいて、**心身機能・身体構造**、**活動**、**参加**にバ

❶ICF
p.172参照

> **表4-2** 介護予防の目的
>
> ◆ 健康高齢者が要介護状態になることを未然に防ぐこと
> ◆ 健康高齢者が要介護状態になることを遅らせること
> ◆ すでに要介護の場合には状態の悪化を防ぐこと
> ◆ すでに要介護の場合には状態の改善をはかること

ランスよくはたらきかけることが大切です。それによって、日常生活の活動が高まり、家庭や社会への参加が増えることが期待されます。たとえば、疲れを感じやすい高齢者が、「今日は雨だから」「今日は暑いから」と、外出の機会を減らして、家の中に閉じこもっていると体力も低下していきます。その結果、天気のよいおだやかな日でも、「今日はきついから」といって、外出が少なくなり、心身機能・身体構造の低下から要介護状態に近づいていきます。また、外出する目的がなく、日々家の中で過ごしている高齢者も多くいます。このような人も同じように、要介護状態に近づきやすいといえます。同様に、要支援者や要介護1などの要介護度が低い人も、活動や社会参加の機会は少なくなりがちです。このような人にも心身機能・身体構造の悪化を防ぎ、活動や参加によって状態の改善をはかることが大切です。

3 介護予防の取り組み

　介護予防は、以前からそれぞれの地域において取り組まれてきました。しかし、その取り組みは体力や筋力に特化した形での機能訓練にかたよりがちでした。そのため、機能の改善はみられても、改善した機能を使っての家庭や社会での活動や参加までの広がりをみせることができませんでした。その結果、一時的に体力や筋力が改善しても、機能訓練を終了することで、また、同様の体力の低下や筋力の低下がみられました。

　この反省から、介護予防は持続的に効果を上げつづけることが重要となりました。そのため、プログラム内容を見直し、体力や筋力の向上のための機能訓練とともに、その能力を安心して使える生活環境づくり、地域のなかで生きがいや役割をもって生活できる居場所づくりや出番づくりなどのバランスのとれた取り組みが必要だといわれるようになって

きました。その際、リハビリテーション専門職などによる専門的なかかわりがあることで、より効果的な支援を行うことができるといわれています。

このことは、地域の高齢者自身がサービスを受ける側ばかりではなく、体操や通いの場の運営をにない、地域のなかで役割をえることで、活動や参加の機会も増えて効果を持続させることにつながると考えられているためです。このような地域づくりを継続させるためには、市町村などの自治体が主体的に取り組み、専門職が支え、住民みずからが運営するといった協力体制が必要とされます。これによって本人を取り巻く、**ヘルスプロモーション**❷の環境がよくなり、みずからの健康を管理し改善することができるようになります。同時に、そのような環境にいれば、要介護状態になっても生きがいや役割をもつことができると考えられています。

実際に、ある調査では、スポーツやボランティア、趣味などのグループ活動の盛んな地域ほど転倒や認知症、うつなどの発生が低い傾向があるという報告がされています。

❷ ヘルスプロモーション
世界保健機関(WHO)が1986年のオタワ憲章で提唱し、2005年のバンコク憲章で再提唱した新しい健康観にもとづく21世紀の健康戦略で、「人々が自らの健康とその決定要因をコントロールし、改善することができるようにするプロセス」と定義されている。宣言文のなかでは、健康は生きる目的ではなくて毎日の生活のための資源であること、単なる肉体的な能力以上の積極的な概念であることが示されている。

2 介護予防の種類と展開

1 介護予防の種類と特徴

高齢者の健康寿命を延ばすためには、地域において予防の取り組みを総合的に実施することが大切です。高齢者に関する予防には、要介護状態にならないようにする**介護予防**と、加齢にともないかかりやすくなる病気を予防する**生活習慣病予防**があります（図4－12）。

介護予防にはいくつかの種類があります。一次予防、二次予防、三次予防といわれるものです。介護予防における**一次予防**は、おもに活動的な状態にある高齢者を対象とします。このような活動的な高齢者に対し、その活動や生活機能を維持し、向上させることが目的です。そのためには、精神的、身体的、社会的に活動できる状態にすることが必要となります。

二次予防は、要支援・要介護状態になる可能性の高い高齢者が対象で

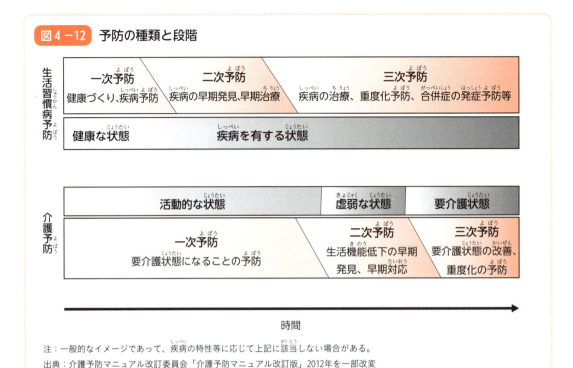

図4-12 予防の種類と段階

注：一般的なイメージであって、疾病の特性等に応じて上記に該当しない場合がある。
出典：介護予防マニュアル改訂委員会「介護予防マニュアル改訂版」2012年を一部改変

す。そのような高齢者を、早めに発見して早めに対応することで、要支援状態になることを遅らせるものです。

また、三次予防は、すでに要支援・要介護状態にある高齢者が対象です。このような高齢者の重度化を防止することに加えて、要介護状態の改善も目的とします。これらの一次予防から三次予防については、あくまでも高齢者１人ひとりに対して、そのときの状態にあわせて適切に取り組むことが大切です。

なお、一次予防、二次予防、三次予防の考え方は、介護予防のなかばかりではなく、高血圧や糖尿病、肥満などの生活習慣病の予防の考え方にも用いられます。この場合の一次予防は、健康な高齢者の発病そのものを予防する健康づくりや疾病予防が目的となります。二次予防は、すでにもっている病気の症状が出てくる前に、早期に発見し治療をするものです。三次予防は、症状が出ている人の重篤化や合併症の出現を防ぐものです。

介護予防と生活習慣病予防はともに、一次予防では健康を維持すること、二次予防では早期に発見し改善をはかること、三次予防では重篤化を防止し改善をはかることになります。

2 これからの介護予防サービス

　市町村が主体となる事業に関しては、都市部なのか農山間部なのか、人口が過密な地域なのか過疎な地域なのかなど、地域によって背景や事情が違います。そのため、それぞれの市町村では、その地域にあった予防事業を展開させることになります。その取り組みの一端を紹介します。

（1）住民運営の通いの場の充実

　社会への参加の場は身近な徒歩圏内にあり、いつでも近所の人たちとの交流のなかで開催されることが望ましいものです。しかし、それだけの多くの集いの場を行政が準備し運営するのは不可能です。そのため、住民が主体となって運営していくことが望まれます。はじめは、行政や専門職の助けを借りてスタートしても、徐々に住民が主体となり運営していくのです。たとえば、プログラムも週1回程度の体操教室だったものが、参加者自身が役割を分担し運営者となったことで、趣味の教室やレクリエーションなど、プログラムも多彩となり、開催日数が増えてきたとします。そうなると、より多くの参加が見込まれます。多彩なプログラムや運営の日数が増えることで、幅広い年齢や幅広い健康状態の人が参加しやすくなります。最終的に、地域のなかのお互いの助け合いによる活動のできる魅力的な通いの場となっていきます。

　ここでは、運営する高齢者自身も活躍の場をえることができることになり、自身の介護予防にもつながってきます。地域のシニア世代の定年後の活躍の場にもなってきます。

（2）リハビリテーション専門職などを活用した介護予防の機能強化

　リハビリテーション専門職などが地域におけるケア会議に参加することで、疾病の特徴や運動特性、日常生活活動、心理・精神面をふまえた現状の把握と将来的な見通しを立てることができるようになります。このことは、予防事業全体を通した目標づくりとともに、一貫性のあるサービスの展開にもつながります。たとえば、ある高齢者が通所や訪問のサービスを利用している場合、ここにリハビリテーション専門職が横断的なかかわりをもつとします。その連携によって、すべての通所サー

ビス事業所や訪問サービス事業所が共通の目標をもつことができます。その結果、すべてのサービスが1つの目標に向けて実践され、より高い効果につながります。

3 高齢者の身体特性と介護予防

高齢者の身体的な特性を表4－3に、生理的な特性を表4－4に示します。身体面では、視力や聴力、味覚、触覚などの感覚の低下が始まります。視力の低下は、本などの小さな文字を読むことがむずかしくなり、社会生活がさまたげられます。聴力の低下は、家族や友人との会話や家族といっしょに観ているテレビの音量が1人だけ聞こえないなどのストレスを感じます。味覚の変化も、家族と同じ食事では好みの味にならずストレスを感じてしまいます。結果的に、孤立や孤独につながりやすい身体機能の変化です。運動機能面では、筋力やバランス能力が低下することで転倒の危険性が高まります。これに骨粗鬆症があれば、その転倒が骨折につながることにもなり、長期的な入院加療の必要性が出てきます。また、呼吸機能や消化・吸収機能の低下は、体力の低下をきたします。その結果、からだの予備力や回復力、防衛力、適応力の低下によって病気にかかりやすく、治りにくいからだになります。

心理・精神面では、記憶や学習機能の低下がみられ、新たな課題に取り組もうという意欲が失われます。また、人との交流や社会的な役割が少なくなり刺激も減っていきます。その結果、うつ傾向になりやすく、より他者との交流も減ることで自宅にひきこもりやすくなります。

このような病弱で健康障害を起こしやすい高齢者が介護予防の対象となります。このようなリスクの高い状態を虚弱といいます。虚弱は、
・体重の減少
・疲れやすい
・活動性の低下
・歩く速さが遅くなる
・筋力の低下

の5つのなかで、3つ以上あてはまる場合をいい、予防が必要となります。最近では、この虚弱の状態をフレイルというようになってきました。厚生労働省研究班の報告書では、「加齢とともに心身の活力（運動

表4-3 高齢者の身体特性

- 身長低下
- 体重減少
- 頭髪の抜け毛、白髪
- 歯が抜ける
- 皮膚のしわ、乾燥、弾力の低下、白斑など
- 筋力の低下
- 筋肉量の減少
- 栄養障害
- 主観的疲労感
- 日常生活活動量の減少
- 身体能力の減弱

表4-4 高齢者の生理特性

- 呼吸機能の低下
- 循環機能の低下
- 消化・吸収機能の低下
- 排泄機能の低下
- 運動機能の低下
- 感覚機能の低下
- 神経機能の低下
- 免疫機能の低下
- 性機能の低下
- 造血機能の低下

機能や認知機能等)が低下し、複数の慢性疾患の併存などの影響もあり、生活機能が障害され、心身の脆弱化が出現した状態であるが、一方で適切な介入・支援により、生活機能の維持向上が可能な状態像」[1]とあります。フレイル状態にある人は、要介護状態になりやすいのですが、早い時期に発見し、専門家の適切なかかわりによって生活機能の改善が見込まれる人でもあります。そのため介護予防の重要な対象者ともいえます。

また、極端に筋肉量が減り、筋力の低下や歩く速さが遅くなり、杖や手すりが必要になるような状態を**サルコペニア**といいます。サルコペニアは、加齢以外にも日常生活動作の量や病気、栄養状態によっても起き

ることがあります。このような場合には、筋力を高めるトレーニングばかりではなく、もととなっている病気があればその治療を優先します。また、栄養状態を確認して必要とあれば栄養の改善をはかり、日常生活動作の量を増やし、筋肉の量を増やすようにしていきます。

ロコモティブシンドロームという言葉があります。これは、日本整形外科学会によると、「運動器[3]の障害のために移動機能の低下をきたした状態」をいいます。この運動器の障害は、骨粗鬆症、変形性膝関節症、脊柱管狭窄症、変形性脊椎症、関節リウマチ、骨折、四肢・体幹の麻痺、腰痛などの疾患にともなうものと、加齢にともなう運動機能の低下などがあります。このことは、からだが思うように動かないことにつながり日常生活動作が低下します。その結果、筋力や体力の低下につながり、転倒し骨折しやすいからだができてきます。これもまた、早めに原因となる疾患の治療や、活動をさまたげる痛みなどがあればその治療を行い、筋力や体力の維持をすることが大切です。

ここまでは、からだの動きや体力に関する面をみてきました。それ以外にも、排泄機能や認知機能、栄養状態など老化のなかには、生活機能を低下させるいくつもの問題があります。尿漏れなどの排泄機能の低下は、外出時の尿漏れの不安によって外出を避けることとなり、やはり同様に活動が低下し要介護状態に近づくことになります。また、排泄機能の低下は、尿漏れをしないように日常的な水分摂取量が少なくなる傾向にあります。結果的に、夏場は熱中症になりやすくなります。栄養も大きな問題の1つです。そもそも活動量が少なくなると、「おなかが減らない」などということで食事の量や回数も少なくなり、栄養もかたよる傾向にあります。そのことは、体力の低下をきたすばかりか、筋肉量の減少から老化を加速させ、病気やけがへとつながることにもなります。栄養摂取の低下には、別の原因も考えられます。それは、食事を一緒にとる家族が少なくなることや、1人暮らしのため1人で食事をしなければならなくなり、おいしく食べることができなくなることです。このように身体の老化ばかりではなく、環境の変化からくるものもあるために注意が必要となります。

[3] **運動器**
骨、筋肉、関節、靭帯、腱、神経などの身体を動かすためにかかわる組織や器官のこと。

4 介護予防の実際

1 生活機能評価

　介護予防を実践するうえで、個々の高齢者の状況を把握することは大切なことです。**生活機能評価**によって、要介護状態になりやすい生活機能項目の低下を確認し、早期の発見や予防につなげることになります。この生活機能評価は、介護予防ケアマネジメントの一環として、**地域包括支援センター**[4]が中心となって実施されます。この評価は、介護予防事業を実施しているところによってそれぞれの特徴はあります。しかし基本的には、**基本チェックリスト**（表4－5）や問診、身体計測などの生活機能チェックと、反復唾液嚥下テスト、循環器検査などの生活機能検査などによって行われます。この評価の結果によって、適切な予防プログラムがつくられ実施されることになります。

　この生活機能評価において、高齢者の日常生活の活動面を支える大きな要素が「動作」です。この動作のもとになる運動能力の測定は、重要な検査項目です。この検査の代表的なものとして、以下の3つがあげられます。

① 握力──上肢筋力の測定
② 開眼片足立時間──バランス能力の測定
③ 歩行時間──総合基礎体力の測定

　これらを定期的に測定して、筋力やバランス、体力の変化を確認します。それによって、適切なプログラムが実施されているのか、活動的な生活が送れているのかなどをチェックすることができます。

> [4] **地域包括支援センター**
> 市町村が設置主体となり、保健師・社会福祉士・主任介護支援専門員等を配置して、地域住民の心身の健康の保持および生活の安定のために必要な援助を行うことにより、地域住民の保健医療の向上および福祉の増進を包括的に支援することを目的とする施設。

2 興味・関心チェックシート

　また、実際に活動を広げて、社会参加の機会を考えるための評価として、**興味・関心チェックシート**（表4－6）があります。これを使うことで、「していること」「してみたいこと」「興味があること」などを整理し、活動や社会参加のきっかけとして活用します。高齢者に何かやりたいかとたずねてみても、ある意味安定した今の生活のなかでは、何が

表4-5 基本チェックリスト

No.	質問項目	回答（いずれかに○をお付け下さい）	
1	バスや電車で１人で外出していますか	0. はい	1. いいえ
2	日用品の買物をしていますか	0. はい	1. いいえ
3	預貯金の出し入れをしていますか	0. はい	1. いいえ
4	友人の家を訪ねていますか	0. はい	1. いいえ
5	家族や友人の相談にのっていますか	0. はい	1. いいえ
6	階段を手すりや壁をつたわらずに昇っていますか	0. はい	1. いいえ
7	椅子に座った状態から何もつかまらずに立ち上がっていますか	0. はい	1. いいえ
8	15分位続けて歩いていますか	0. はい	1. いいえ
9	この１年間に転んだことがありますか	1. はい	0. いいえ
10	転倒に対する不安は大きいですか	1. はい	0. いいえ
11	６ヵ月間で２〜３kg以上の体重減少がありましたか	1. はい	0. いいえ
12	身長　　　cm　体重　　　kg（BMI＝　　　）（注）		
13	半年前に比べて固いものが食べにくくなりましたか	1. はい	0. いいえ
14	お茶や汁物等でむせることがありますか	1. はい	0. いいえ
15	口の渇きが気になりますか	1. はい	0. いいえ
16	週に１回以上は外出していますか	0. はい	1. いいえ
17	昨年と比べて外出の回数が減っていますか	1. はい	0. いいえ
18	周りの人から「いつも同じ事を聞く」などの物忘れがあると言われますか	1. はい	0. いいえ
19	自分で電話番号を調べて、電話をかけることをしていますか	0. はい	1. いいえ
20	今日が何月何日かわからない時がありますか	1. はい	0. いいえ
21	（ここ２週間）毎日の生活に充実感がない	1. はい	0. いいえ
22	（ここ２週間）これまで楽しんでやれていたことが楽しめなくなった	1. はい	0. いいえ
23	（ここ２週間）以前は楽にできていたことが今ではおっくうに感じられる	1. はい	0. いいえ
24	（ここ２週間）自分が役に立つ人間だと思えない	1. はい	0. いいえ
25	（ここ２週間）わけもなく疲れたような感じがする	1. はい	0. いいえ

項目6〜10：運動　項目11〜12：栄養　項目13〜15：口腔　項目16〜17：閉じこもり　項目18〜20：認知症　項目21〜25：うつ

（注）BMI（＝体重（kg）÷身長（m）÷身長（m））が18.5未満の場合に該当とする。

出典：「介護予防のための生活機能評価に関するマニュアル」分担研究班「介護予防のための生活機能評価に関するマニュアル（改訂版）」2009年

表4-6 興味・関心チェックシート

氏名：＿＿＿＿＿＿　年齢：＿＿＿＿歳　性別（男・女）記入日：H＿＿＿年＿＿＿月＿＿＿日

表の生活行為について、現在しているものには「している」の列に、現在していないがしてみたいものには「してみたい」の列に、する・しない、できる・できないにかかわらず、興味があるものには「興味がある」の列に○を付けてください。どれにも該当しないものは「している」の列に×をつけてください。リスト以外の生活行為に思いあたるものがあれば、空欄を利用して記載してください。

生活行為	している	してみたい	興味がある	生活行為	している	してみたい	興味がある
自分でトイレへ行く				生涯学習・歴史			
一人でお風呂に入る				読書			
自分で服を着る				俳句			
自分で食べる				書道・習字			
歯磨きをする				絵を描く・絵手紙			
身だしなみを整える				パソコン・ワープロ			
好きなときに眠る				写真			
掃除・整理整頓				映画・観劇・演奏会			
料理を作る				お茶・お花			
買い物				歌を歌う・カラオケ			
家や庭の手入れ・世話				音楽を聴く・楽器演奏			
洗濯・洗濯物たたみ				将棋・囲碁・ゲーム			
自転車・車の運転				体操・運動			
電車・バスでの外出				散歩			
孫・子供の世話				ゴルフ・グランドゴルフ・水泳・テニスなどのスポーツ			
動物の世話				ダンス・踊り			
友達とおしゃべり・遊ぶ				野球・相撲観戦			
家族・親戚との団らん				競馬・競輪・競艇・パチンコ			
デート・異性との交流				編み物			
居酒屋に行く				針仕事			
ボランティア				畑仕事			
地域活動（町内会・老人クラブ）				賃金を伴う仕事			
お参り・宗教活動				旅行・温泉			

生活行為向上マネジメント　©一般社団法人日本作業療法士協会
本シートは、この著作権表示を含め、このまま複写してご利用ください。シートの改変は固く禁じます。

やりたいのか答えられない人も多くみられます。そのような場合に、興味や関心のあることをあらためて考えてみて、家族や支援者とともに実現に向けてがんばることができます。

3 各種プログラム例

　ここからは、実際の介護予防プログラムについてみていきます。ただし、これらのプログラムは一次予防や二次予防といった段階によっても内容や方法は異なります。また、グループでのプログラム実施なのか、個別にプログラムを実施するのか、指導者が専門家であるかどうか、などで内容は違ってきますので基本的な考え方についてみていきます。

（1）筋力向上

　高齢者の筋力は加齢によって大きく低下していきます。しかし、その筋力を強化するトレーニングについては、高い効果が見込めず、負荷をかけることは逆にからだの痛みを誘発するなどの問題も起こるため、よくないと考えられている時期がありました。しかし、1990年代からのさまざまな研究の結果、その人に合った適切な管理のもとで行われる筋力トレーニングでは筋力は増加し、効果も高いことがわかってきました。そのため各地でウエイトトレーニングマシーンを使ったトレーニングが行われ効果が実証されてきました。

（2）転倒予防

　転倒はおもに加齢による筋力の低下や、バランス機能の低下などの運動機能の低下によって起きるものです。そのため、転倒予防のトレーニングは、筋力を上げることやバランス機能を上げることが中心となります。それとともに、からだの柔軟性を上げることも大切ですので、ストレッチなどの運動も組み合わせることになります。このようななかで、高齢者特有の状態として、多重課題を行うことがむずかしくなることがあげられます。たとえば、ふだんはつまずきもしないような段差をテレビの音に耳を傾けながら歩いていると段差があることを忘れてしまい、つまずき転倒するようなことがみられます。このように、運動という課題と、見たり聞いたり話したり考えたりの課題を同時に行うことがむずかしくなるのです。そのため、二重課題トレーニングとして、「しりと

り」をしながら同じテンポで歩いてみることや、足ぶみをしながら日本の都道府県名をあげてもらうなど、いくつかの課題を同時に処理する能力を養います。

　また、別な観点から転倒予防に大切な要素として環境があります。段差の多い家や、日々散らかっている場合は転倒が起きやすくなります。また、身につけるものとして、履物があります。スリッパやサンダルは靴に比べて転倒の発生は高くなります。そのため、支援者は環境を確認して、転倒しにくい状況にすることも大切です。

（3）栄養改善

　栄養は、人が生きて活動をするうえで必要不可欠なものです。この栄養が質的にも量的にも不足する**低栄養状態**になってくると、体重の減少や身体機能の低下がみられ、サルコペニアやフレイルの要因となっていきます。また、低栄養状態で、過度な運動をすると、逆に機能の悪化を招くこともあるので注意が必要です。低栄養状態を知る手がかりとして大切なものに、**食事摂取量の減少**と、**体重の減少**がありますので定期的に確認してみます。その結果、低栄養が疑われる場合には、食事の内容や量を、管理栄養士などの専門家もまじえて検討し、指導し改善することが大切です。

（4）口腔機能向上

　口腔機能の低下は、食べ物をかみ砕き、飲み込む摂食・嚥下の機能の低下です。高齢になると、前述した低栄養状態となりやすく、身体機能の低下につながることも多くみられます。その低栄養の1つの要因に、**口腔機能の低下**があります。口腔機能が低下すると、かみ砕く力が弱くなることや、舌の動きが悪く、唾液の分泌量も少なくなることで、飲み込む際に食べ物を小さな塊にすることができず、バラバラな状態で飲み込むことになります。その結果、むせが起きてしまうことや、誤嚥⑤をすることで、**誤嚥性肺炎**などにつながることにもなります。それを防ぐためには口腔内をふだんから清潔に保ち、かみ砕く役割の歯や入れ歯をいつもよい状態にしておくことが大切です。また、口や舌を動かす筋力を強化し、かむ回数を増やすなどで唾液の分泌が多くなるように心がけます。

> ⑤誤嚥
> 食物や唾液は、口腔から咽頭と食道を経て胃へ送り込まれるが、食物などが、何らかの理由で、誤って喉頭と気管に入ってしまう状態。

（5）尿失禁予防

　尿失禁は、尿意がないのに尿が漏れ出ることや、我慢できずに尿を漏らしてしまう状態です。尿失禁の心配があると外出をひかえて、活動や社会への参加が少なくなります。そのため、尿失禁を予防するプログラムは大切なプログラムの1つです。しかし、排泄機能の低下は羞恥心からなかなかまわりの人に伝えることができず、プログラムへの参加や尿失禁があるかどうかを確認することもむずかしいものです。尿失禁には、膀胱や尿路の結石、膀胱炎、前立腺肥大や脳血管障害などの病気からくるものと、排尿をコントロールする骨盤底筋群など老化にともなう筋肉のおとろえなどが原因のものがあります。病気からくるものは、もとになる病気をしっかりと治療することが大切です。病気が原因ではない老化による初期の尿漏れは、骨盤底筋群を強化する運動が効果を発揮します。また、肥満も尿失禁の原因の1つだといわれています。とくに下腹部に脂肪が多くたまると、おなかの中の圧力が高くなり膀胱を押し、尿失禁にいたることもあります。そのため、肥満の場合には、腹部の脂肪が減少するような運動や栄養管理が大切になります。尿漏れが病気からくるものなのかどうかの判断はむずかしいので、まずは泌尿器科の受診をすることで原因を明確にし、その後予防プログラムへの参加が望まれます。

（6）認知症予防

　認知症になりやすい因子としては、生活習慣病の因子でもある、糖尿病や高血圧、肥満やうつ、運動不足などがあげられます。それらの因子と認知症の1つであるアルツハイマー型認知症の発症の関係をみると、身体的活動の不足が大きく影響しているといわれています。そのため、適切に運動を行い、知的活動とともに活動を増やし、社会参加をすることが大切だといわれています。具体的にはどのような運動をするべきか、どのような活動が適切かはまだまだ明確に確立できてはいません。しかし、現在もっとも効果的と考えられて取り組まれているものがあります。それは、有酸素運動、筋力トレーニング、頭を使いながらの運動などを組み合わせた複合的な運動です。とくに、多重課題として頭を使いながら運動することは効果が期待されて取り組まれています。

5 自立支援と介護予防

介護予防事業として各地で取り組まれているさまざまな取り組みは、自立を考えるうえで社会的な基盤整備となっています。とくに、地域における**通いの場づくり**です。自立を考えるうえでは、健康を維持するとともに、みずからの選択によって活動や社会参加が気軽にできなければいけません。いくら本人にその気があっても、活動や参加する場所が身近になく、参加しても選択する活動が少なければ、参加はしなくなるものです。さまざまな活動が身近な場所で開催されていることで、「ちょっと行ってみようか」から始まり、「あれもやりたい」「これもやりたい」と少しずつ広がり、みずからが運営側として役割をもつことにもつながります。このような活動拠点が身近な地域のなかにたくさんできることで、自立した健康な高齢者が多く住む地域づくりにつながります。

6 介護予防における介護福祉士の役割

介護予防における介護福祉士の役割で重要な点は、どこまで支援するかの判断です。とくに支援や介護を必要としている要支援者や要介護者に対して、すべての生活活動を手伝ってしまうと、体力や身体機能を使う場面ばかりではなく、自立の意識もうばい取ることになります。そのため、残存能力の活用、「利用者の自立の可能性を最大限に引き出す支援を行う」ことを基本として、利用者のできる能力を阻害するような不適切なサービスを提供しないよう配慮することが大切です。

介護予防サービスを利用している人の場合、ADL（Activities of Daily Living：日常生活動作）は維持されていても、IADL（Instrumental Activities of Daily Living：手段的日常生活動作）である炊事、洗濯、掃除、買い物が今までのようにはできにくくなってきたためにサービスを利用するようになった人が少なくありません。

IADLの場合、自分でできていなくても家族やほかの人が代行していることが多く、できなくなってきていても早期に気づけない可能性があり、その結果、徐々に活動量が減り、筋力低下等につながっていくこと

が予測されます。そのため介護福祉士は、IADLの低下により支援を開始した利用者の場合、「なぜできなくなったのか」もしくは「なぜしなくなったのか」をリハビリテーション専門職と評価し、「できなくなった」もしくは「しなくなった」IADLをもう一度できるようになる支援を計画的に実施していくことが重要になってきます。

　そのためにも、介護予防は、何よりも利用者の主体的な取り組みが不可欠であり、それがなければ十分な効果も期待できません。このため、介護福祉士は利用者の意欲が高まるようなコミュニケーションのとり方をはじめ、利用者のめざす目標は、高すぎず達成感が味わえるような目標を設定し、意欲喚起につながるようなはたらきかけが求められます。そのため、意識して利用者を観察し、意図的なかかわりをもつ必要があります。とくに、転倒の経験がある人などは活動に消極的になります。その場合には、できるであろうと判断してやってもらうのではなく、安全を確保し声かけによって安心して利用者が活動できる環境を提供していくことが、介護福祉士にとって重要な役割だといえます。

◆引用文献

1）厚生労働科学研究費補助金（長寿科学総合研究事業）総括研究報告書「後期高齢者の保健事業のあり方に関する研究」研究代表者　鈴木隆雄、2016年

◆参考文献

- 鈴木隆雄・島田裕之・大渕修一監『完全版介護予防マニュアル――住民主体の介護予防をサポートする決定版！』法研、2015年
- 大渕修一・浦辺幸夫監、吉田剛・井上和久編『予防理学療法学要論』医歯薬出版、2017年
- 社会福祉士養成講座編集委員会編『新・社会福祉士養成講座13 高齢者に対する支援と介護保険制度 第6版』中央法規出版、2019年
- 亀井智子編『新体系看護学全書 老年看護学1 老年看護学概論・老年保健 第4版』メヂカルフレンド社、2016年
- 「第3章 健康寿命の延伸に向けた最近の取組み」厚生労働省編『厚生労働白書 平成26年版』2014年
- 長寿科学振興財団「健康長寿ネット」
- 厚生労働省「介護予防マニュアル 改訂版」2012年
- 厚生労働省「介護予防活動普及展開事業専門職向け手引き（ver.1）」

演習4-5　介護予防における介護福祉士の役割①

次の文章の空欄に適切な語句を入れ、介護予防における介護福祉士の役割について理解を深めよう。

- 介護予防における介護福祉士の役割でむずかしい点は、どこまで支援するかの ① です。要支援者や要介護者に対して、すべての生活活動を手伝ってしまうと、体力や ② 機能だけでなく、③ の意識もうばい取ることになります。そのため、利用者の ③ の可能性を最大限に ④ 支援を行うことを基本として、利用者のできる ⑤ を ⑥ するような不適切なサービスを提供しないよう配慮することも大切です。

- 介護予防においては、何よりも利用者の ⑦ な取り組みが不可欠であり、それがなければ十分な ⑧ も期待できません。このため、介護福祉士は利用者の ⑨ が高まるようなコミュニケーションのとり方をはじめ、利用者のめざす目標は、高すぎず ⑩ が味わえるような目標を設定し、⑪ につながるようなはたらきかけが求められます。

演習4-6　介護予防における介護福祉士の役割②

1. 興味・関心チェックシート（p.209 表4-6）を実際に自分でやってみましょう。その結果について話し合いましょう。

2. 介護予防プログラムの例（pp.210-212）を参考にして、それぞれの介護予防プログラムにおいて、共通する介護福祉士の役割について話し合ってみましょう。

索引

欧文

- ADL　54、58、192
- DCAT　90
- DWAT　90
- EPA　17
- FIM　193
- IADL　193
- ICF　154、172、192
- ICFモデル　173
- ICIDH　172、192
- IL運動　182
- OT　188
- PT　188
- QOL　54、58、193
- ST　188
- WHO　185

あ

- アウトカム評価　193
- アウトリーチ　82
- アクセシビリティ　182
- アクティビティ・ケア　163
- アセスメント　103
- アドボカシー　146
- 新たな高齢者介護システムの構築を目指して　40、43
- 家制度　6
- 医学リハビリテーション　185
- 育児・介護休業法　3
- 育児休業、介護休業等育児又は家族介護を行う労働者の福祉に関する法律　3
- 維持期リハビリテーション　186
- 意思決定支援　157
- 医師法第17条、歯科医師法第17条及び保健師助産師看護師法第31条の解釈について　47
- 一次予防　201
- 医療的ケア　13、50、83、100
- インクルージョン　184
- エイジレス社会　168
- 栄養改善　211
- エンパワメント　155
- エンパワメント・アプローチ　155

か

- 介護　3、27
- …の概念　21
- …の社会化　3
- …の倫理　119
- 介護が必要となったおもな原因　13
- 介護休業　3
- 外国人介護人材　16
- 介護職員等によるたんの吸引等の実施のための制度の在り方に関する検討会　50
- 介護職員の必要数　14、15
- 介護の日　108
- 介護福祉　35
- …の概念　35
- …の理念　53
- 介護福祉学　115
- 介護福祉士　34、69
- …の義務規定　70、139
- …の資格取得方法　73
- …の定義　13、36、47、69
- …の登録　73
- …の養成カリキュラム　41、94
- 介護福祉士基本研修　109
- 介護福祉士教育課程　41
- 介護福祉士国家試験　73
- 介護福祉士国家試験合格者　16
- 介護福祉士養成教育　96
- 介護福祉職の変化　16
- 介護保険施設　45、81
- 介護保険制度　44
- 介護保険法　42
- 介護予防　80、198、201
- …の目的　199
- 介護老人保健施設　33、81
- 回復期リハビリテーション　186
- 喀痰吸引　50、69、82
- 喀痰吸引等　68
- 看護　27
- 看護師　27
- 看護婦　27
- 期待される介護福祉士像　97
- 技能実習生　19
- 技能実習制度　19
- 機能分化　15
- 基本チェックリスト　207
- 基本的人権　56
- 虐待　138
- 救護法　22
- 急性期リハビリテーション　186
- 教育リハビリテーション　185
- 共生社会　184
- 興味・関心チェックシート　207
- 業務独占　37、72
- 虚弱　204
- 筋力向上　210
- グループホーム　79
- 経管栄養　69、82
- 軽費老人ホーム　24
- 契約制度　44
- 健康　191
- 健康寿命　162、199
- 言語聴覚士　188
- 言語聴覚士法　188
- 権利擁護　55
- 口腔機能向上　211
- 行動規範　142
- 高齢化社会　38
- 高齢化率　6、8、38
- 高齢社会　38
- 高齢者虐待　127

高齢者虐待の防止、高齢者の養護者に対する支援等に関する法律 ……………… 127、132
高齢者虐待防止法 ……… 127
高齢者の医療の確保に関する法律 ………………………… 32、39
高齢者保健福祉推進十か年戦略 ………………………………… 37
誤嚥 …………………………… 211
ゴールドプラン ……………… 37
ゴールドプラン21 …………… 41
国際障害分類 ………… 172、192
国際生活機能分類 ……………………… 154、172、192
国民年金法 …………………… 24
個人情報の保護に関する法律 ………………………………… 145
個人情報保護法 ……………… 145
個性 …………………………… 57
個別ケア ………………… 98、165
今後5か年間の高齢者保健福祉施策の方向 ………………… 41

さ

災害時 ………………………… 89
…の介護 ……………………… 91
災害支援活動 ……………… 112
災害対策基本法 ……………… 89
災害派遣福祉チーム ………… 90
在宅サービス ………………… 39
在留資格「介護」……………… 17
作業療法士 ………………… 188
サルコペニア ……………… 205
三次予防 …………………… 202
三大介護 …………… 12、37、47
自己決定権 …………………… 59
資質向上の責務 …… 72、139、144
実務経験ルート ………… 73、99
実務者研修 ……………… 73、100
児童福祉法 …………………… 22
自分らしさ …………………… 57
死亡数 ………………………… 85
死亡場所 ……………………… 86
社会資源 ………………… 31、32
社会的自立 ………………… 153

社会的入院 ……………… 31、32
社会福祉基礎構造改革 ……………………… 40、56、96
「社会福祉基礎構造改革について（中間まとめ）」…………… 41
社会福祉士 …………………… 70
社会福祉士及び介護福祉士法 ………………………… 34、68
…の成立 ……………………… 34
社会福祉事業法 …………… 40、44
社会福祉法 ………… 40、44、59
社会保険 ……………………… 2
社会保険方式 ………………… 44
社会リハビリテーション …… 185
恤救規則 ……………………… 21
障害 ………………………… 192
生涯研修 …………………… 109
障害者総合支援法 ………… 187
障害者の権利に関する宣言 … 54
障害者の日常生活及び社会生活を総合的に支援するための法律 ………………………… 187
少産・多死社会 ……………… 86
少子高齢化社会 ……………… 6
ショートステイ ……………… 37
職業リハビリテーション …… 185
職業倫理 ………………… 119、136
自立 ………………… 152、183
…を支える介護 ……………… 59
自律 ………………………… 154
自立支援 ………… 43、98、152
自立生活運動 ……………… 182
新・高齢者保健福祉推進十か年戦略 ………………………… 39
新ゴールドプラン …………… 39
心身の状況に応じた介護 ………………… 12、47、70
人生の最終段階 ……………… 85
身体介護 ………………… 37、45
身体拘束 ………… 32、45、137
身体拘束ゼロへの手引き ………………………… 45、132
身体障害者福祉法 …………… 22
身体的自立 ………………… 153
信用失墜行為の禁止 …… 71、139

ストレングス ………… 155、177
生活援助 ……………………… 45
生活機能 …………………… 172
生活機能評価 ……………… 207
生活期リハビリテーション … 186
生活習慣病予防 …………… 201
生活の快 …………………… 163
生活の継続性 ………………… 89
生活の質 …………………… 193
生活不活発病 ……………… 156
生活保護法 …………………… 22
誠実義務 ………………… 71、139
精神的自立 ………………… 153
精神薄弱者福祉法 …………… 23
生命・身体に関する自己決定権 ………………………… 59、158
生命倫理 …………………… 118
世界保健機関 ……………… 185
全人間的復権 ……………… 182
専門職能団体 ……………… 107
相互作用モデル …………… 174
措置 …………………………… 27
措置制度 ……………………… 44
その人らしさ …………… 57、98
尊厳 ………………………… 122
…の保持 ……………………… 98
…を支える介護 ……………… 56

た

多職種協働 …………………… 71
多職種連携 ……………… 103、113
男性介護福祉士 ……………… 16
地域共生社会 ………… 102、164
地域支援事業 ………………… 80
地域包括ケアシステム ……… 77
地域包括支援センター ……… 207
地域密着型サービス ………… 79
地域リハビリテーション …… 186
チームアプローチ ………… 189
チームケア ……………… 103、113
チームマネジメント ……… 102
チームリーダー …………… 100
知的障害者福祉法 …………… 23
通所介護 ……………………… 81
デイサービス …………… 37、81

転倒予防……………………… 210
特定技能……………………… 19
特別養護老人ホーム……… 25、26

な

内部障害者…………………… 89
ニィリエ, B.…………………… 54
二次予防……………………… 201
2015年の高齢者介護………… 47
ニッポン一億総活躍プラン… 164
日本介護学会………………… 111
日本介護福祉学会…………… 115
日本介護福祉教育学会……… 114
日本介護福祉士会…………… 107
日本介護福祉士会倫理基準（行動規範）……………………… 142
日本介護福祉士会倫理綱領
　………………………… 120、140
日本介護福祉士養成施設協会
　………………………………… 113
尿失禁予防…………………… 212
人間観………………………… 61
認知症…………………… 31、32
認知症カフェ………………… 81
認知症ケア…………………… 103
認知症対応型共同生活介護… 79
認知症予防…………………… 212
認定介護福祉士……………… 111
認定介護福祉士認証・認定機構
　………………………………… 111
認定介護福祉士養成研修…… 111
寝たきり老人………………… 25
ねたきり老人ゼロ作戦……… 37
ノーマライゼーション
　………………………… 53、57、183
…の原理……………………… 54

は

バーセルインデックス……… 193
倍加年数……………………… 38
廃用症候群…………………… 80、156
バリアフリー………………… 168
バンク・ミケルセン, N.E.… 53
避難行動要支援者…………… 89
秘密保持義務………… 71、139、145

ファーストステップ研修…… 109
福祉関係八法改正…………… 39
福祉元年……………………… 31
福祉サービス………………… 44
…の基本的理念……………… 59
福祉サービス利用者………… 44
福祉三法……………………… 22
福祉六法……………………… 23
普遍的生命倫理原則…… 120、121
プライバシーの保護………… 126
フレイル………………… 162、204
平均寿命………………… 5、6、198
ヘルスプロモーション……… 201
訪問介護……………………… 45
訪問介護におけるサービス行為ごとの区分等について……… 45
ホームヘルパー……………… 37
母子及び父子並びに寡婦福祉法
　………………………………… 23
母子福祉法…………………… 23

ま

マネジメントスキル………… 113
慢性期リハビリテーション… 186
看取り………………………… 88
無告の窮民…………………… 21
無差別平等…………………… 22
名称独占………………… 37、72
求められる介護福祉士像
　………………………… 98、101

や

有料老人ホーム……………… 24
ユニバーサルデザイン……… 168
ユネスコ……………………… 184
養護老人ホーム……………… 26
養成施設ルート………… 73、98
要配慮者……………………… 89
養老院………………………… 22
養老施設………………… 22、24

ら

ライフスタイルに関する自己決定権……………………… 59、158
理学療法士…………………… 188

リハビリテーション………… 180
…の体系……………………… 185
…の理念……………………… 182
…の歴史……………………… 182
リハビリテーション専門職… 189
利用者………………………… 44
利用者主体…………………… 55
利用者の権利に基づくサービス指針……………………… 61
寮母…………………… 16、27
倫理…………………………… 118
倫理基準……………………… 142
倫理綱領……………………… 119
倫理的ジレンマ……………… 125
倫理的配慮…………………… 119
連携…………………… 71、139
老人医療費支給制度………… 31
老人家庭奉仕員……… 26、28、33
老人福祉施設………………… 26
老人福祉法……………… 23、25
老人訪問看護制度…………… 39
老人保健施設………………… 33
老人保健福祉計画…………… 39
老人保健法……………… 32、39
老年症候群…………………… 198
ロコモティブシンドローム… 206

『最新 介護福祉士養成講座』編集代表 (五十音順)

秋山 昌江（あきやま まさえ）
聖カタリナ大学人間健康福祉学部教授

上原 千寿子（うえはら ちずこ）
元・広島国際大学教授

川井 太加子（かわい たかこ）
桃山学院大学社会学部教授

白井 孝子（しらい たかこ）
東京福祉専門学校副学校長

「3 介護の基本Ⅰ（第2版）」編集委員・執筆者一覧

編集委員 (五十音順)

及川 ゆりこ（おいかわ ゆりこ）
公益社団法人日本介護福祉士会会長

川井 太加子（かわい たかこ）
桃山学院大学社会学部教授

杉原 優子（すぎはら ゆうこ）
地域密着型総合ケアセンターきたおおじ施設長

横山 孝子（よこやま たかこ）
熊本学園大学社会福祉学部教授

執筆者 (五十音順)

伊藤 優子（いとう ゆうこ） ……………………………………………………… 第2章第3節
北海道医療大学先端研究推進センター客員教授

及川 ゆりこ（おいかわ ゆりこ） ……………………………… 第2章第4節1、第3章第2節
公益社団法人日本介護福祉士会会長

川井 太加子（かわい たかこ） ………………… 第2章第1節・第4節2〜4、第4章第3節5・第4節6
桃山学院大学社会学部教授

河添 竜志郎（かわぞえ りゅうしろう） ……………… 第4章第3節1〜4・第4節1〜5
株式会社くますま代表

中村 裕子（なかむら ひろこ） ……………………………………………………… 第3章第1節1
株式会社日本ヒューマンヘルスケア研究所所長

二宮 佐和子(にのみや さわこ) ……………………………………………………………… 第4章第2節
特定非営利活動法人コミュニティ・ケア・ネットいずみ副代表理事

野島 謙一郎(のじま けんいちろう) ………………………………………………………… 第3章第1節2
九州中央リハビリテーション学院介護福祉学科・国際介護学科学科長

二渡 努(ふたわたり つとむ) …………………………… 第1章第1節・第2節、第2章第2節1〜4
東北福祉大学総合福祉学部講師

八木 裕子(やぎ ゆうこ) ……………………………………………………………………… 第2章第2節5
東洋大学ライフデザイン学部准教授

横山 孝子(よこやま たかこ) ………………………………………………… 第1章第3節、第4章第1節
熊本学園大学社会福祉学部教授

最新 介護福祉士養成講座 3

介護の基本 I　第 2 版

2019年3月31日	初 版 発 行
2022年2月1日	第 2 版 発 行
2025年2月1日	第 2 版第 4 刷発行

編　　集	介護福祉士養成講座編集委員会
発 行 者	荘村　明彦
発 行 所	中央法規出版株式会社
	〒110-0016　東京都台東区台東3-29-1　中央法規ビル
	TEL 03-6387-3196
	https://www.chuohoki.co.jp/
印刷・製本	サンメッセ株式会社
装幀・本文デザイン	澤田かおり（トシキ・ファーブル）
カバーイラスト	のだよしこ
口絵デザイン	株式会社ジャパンマテリアル

定価はカバーに表示してあります。
ISBN978-4-8058-8392-1

本書のコピー、スキャン、デジタル化等の無断複製は、著作権法上での例外を除き禁じられています。また、本書を代行業者等の第三者に依頼してコピー、スキャン、デジタル化することは、たとえ個人や家庭内での利用であっても著作権法違反です。
落丁本・乱丁本はお取り替えいたします。

本書の内容に関するご質問については、下記URLから「お問い合わせフォーム」にご入力いただきますようお願いいたします。
https://www.chuohoki.co.jp/contact/